鉱石が導く

波動発電の未来

高木利誌

明窓出版

はじめに

　本日、いつもはお越しいただいている取引先の社長様のところへ訪問させていただいたところ、社長さんはご不在でありました。

　なにしろ私は90歳ですから、町の中心にはあまり出かける用事もありません。

　運転免許は所持するものの、普段は町中からは離れた自宅近くを運転する程度ですが、久しぶりに市役所に用事がありましたので、ついでといっては申し訳ありませんがアポイントもなく立ち寄ってみました。

　すると、お二人の息子様 (専務、常務様) が迎えてくださり、社長さんの薫陶や教育の賜物か、その応対は本当に素晴らしく、

　「『この会社ならば、安心してお付き合い頂ける』と、私が経営していた会社の跡継ぎの次女夫婦に、申し送ることができる」と確信した次第です。

　兄弟仲良く会社を盛り上げていかれるようになさった教育、本当にうらやましくもあり、美しいと感じました。

　そして、「このように、次世代を担う兄弟に育て上げられた社長に、いっそうの敬意を払いたい」と思いました。

私は、幼少の頃より父から経営について、またお得意様への対応について指導を受け、さらに警察官として勤務することで、人間としての対応を学ばせて頂けました。

　何度も繰り返し申したことですが、父に、

　「人間の一生には、３度のチャンスがある。それを見逃したら、ただの凡人だ」

　と教えられた記憶があります。

　私の人生、90 年を振り返るとき、「だめだ」と思って失望したことが最高の展開になることもあり、そのお救いは素晴らしいものでした。

　工場を始めて、良いお得意様に恵まれ、素人ゆえにありがたくご親身になったご指導をいただき、チャンスに恵まれたというか、とても大きなチャンスを頂きました。

　また、ある会社との取引開始前に、深夜その会社の門前を見て、その会社の状態が直感で理解できたことは、これぞまさに、警察官時代の感性が、父の教えにプラスされたおかげです。

　さらに、「親の意見となすびの花は、千に一つの無駄はない」という母の教えも思い出しました。

ずぶの素人の私が、父の教育に従って始めたという会社ですが、取引先には、支払いが滞るような会社は一つもありませんでした。

　もっとも、倒産した会社について、倒産前には取引を終了させていただいていたことはありました。

　手形の支払い期日、３ヶ月前のことでしたが、倒産前の会社の意識の動きを見て、やはり直感的に、「この会社はもう危ない」と思ったので、それ以上の取引をしなかったのです。

　このように、会社を意識レベルで見ることは、とても大切です。

　例えば、以前の拙著にも書いたことですが、上場企業の会社訪問をした際、休日に社長さんに社内を案内していただき、休日でもその場に残っている社員の意識や、会社全体の意識分布について、社長さんと意見交換をした経験があります。

　従業員の意識を知れば、おのずと会社がわかるはずです。

　戦前戦後で大きく変わったとは思いますが、戦後生まれの皆様の意識変化については、戦前教育を受けて育った私には、戸惑いを覚えます。

また、その心の動きについては、理解できない部分があります。

　人間対人間として、同じ民族でありながら、かくも相違があるとは、戦争というのは恐ろしいものだと思います。

　戦後の日本を支配していたGHQの日本人の意識破壊工作によるものかどうかは別にしても、いささか将来に不安を覚えるところです。

　それともう一つ、私が懸念しているのは、工業試験所の対応です。

　例えば、以前の話ではありますが、厚生省の依頼で「ガンの薬の開発」の依頼を受けた京都大学の林教授が、完成した薬を持参したら、

　「こんなものができたら、医者いらずになって病院もつぶれるではないか」といわれたと聞きました。

　それでは、土壌改良にと使用したら、無肥料無農薬で素晴らしい成果が認められたのですが、農協からも、農薬も肥料も使わないものでは、肥料のメーカーが困ることになると、やはりお叱りを受けたと聞きました。

　私もそれを試してみると、様々な効果が認められたので、医療や製薬のような人体に関わるものではなく、工業

的に使ってみてはどうかと思い、廃棄電池の再生について試してみました。

　ところが、できたものを工業試験所でテストをしてほしいと希望しても、受け付けていただけませんでした。

　仕方なく、「自然エネルギーを考える会」を立ち上げて、多数の会員に試験していただくことを依頼することにしました。

　市役所から廃棄乾電池とバッテリーの払い下げをいただき、処理してみると90％再生したのですが、市役所に報告すると、これも、

　「こんなものができたら電気店やメーカーが困るだろう」と、禁止されてしまいました。

　それについて、専門の先生におうかがい、ご講演をいただくと、

　「再生は可能なようだが、現在の理論では説明できない」とのことでした。

　他にも、ディーゼルエンジンの排気ガス対策として、ディーゼルエンジン用の油100リッターに20ＣＣほどの植物油を混入すると、排気黒煙が0～90％に削減できました。

　ところが、国内にはこうしたことを検査してくれるよう

な機関がなく、関係省に照会すると、

「こんなものができては困るなあ」と言われる始末。

　それでは外国に相談しようと、アメリカの知人に依頼したところ、アメリカの研究機関に「CO_2、SO_2 も大幅に削減できて素晴らしいが、燃費が 20％以上削減できてしまうので、発売は禁止だ」と言われたとのことでした。

　そして、ロンドンのヒースロー空港公団の総裁からご連絡があってご招待していただき、

「排気ガスの問題はよいとしても、黒鉛ガスの除去方策はないですか」

と相談されましたが、

「申し訳ありませんが、日本では黒鉛問題はないことになっているようですので、調査不能です」とお断りしました。

　素人が国策について知らずに手を出すと、かえってお叱りを受けることになるからです。

　私は 63 歳の時にガンの宣告を受けましたが、工場を建てるために、公害課からの命令でさまざまな処置を迫られての大借金の最中で、ろくに闘病することもできませんでした。

　そこで、林先生開発のガンの薬を使うことにしました。

土壌改良剤として使用した場合の実験では成功していましたので、自身で試してみることにしたのです。がんセンターへの入院も断り、試してみたところ、1ヶ月で全快いたしました。

　このようにして、90歳を越えた現在まで、研究時間がいただけている次第です。

　さて、時代は、電気自動車の方向に向かいつつあります。

　とはいえ、その電気そのものは、現在の理論でいうところの電気なのでしょうか。

　はたして、現在までの電気の延長線上にある電気自動車でしょうか。

　かつて、日刊工業新聞が、「2030年について」のアイデアを募集したとき、その頃は空飛ぶ自動車の時代がくると考えて応募をすると共に、本書の版元でもある明窓出版にお願いして、『2030年　空飛ぶ自動車の時代』という題の小冊子を発行しました。

　何十年か前の井出治先生をお呼びしての講演で、「月の裏側の状態」というお話がありましたが、月の裏側に基地があって、宇宙の人が、そこを拠点に宇宙船で地球に来ているそうです。

　そして、産経新聞の1面トップ記事に、車輪のない自動

車が道路上を浮き上がって走る写真が掲載されているのを見ました。

　また、関英男先生から、
　「UFOはこれで飛んでいるんだよ」と見せていただいたのは、水晶でした。
　さらに、リンゴ農家の木村秋則先生が横浜でご講演なさるとお聞きして、横浜まで飛んでいきました。
　ご講演では、木村先生が「UFOに招かれた」というお話があり、UFOの状態をお聞きしたのです。
　宇宙人に、「UFOは何で飛んでいるか」と聞くと、「ケイ」と言ったそうです。
　「ケイといいますとカリウムですね。カリウムが燃えますかね」とのことでした。

　その時、関英男先生にお聞きした「UFOは水晶で飛んでいる」というお話を思い出しました。水晶もケイ素からできていますから、それはまさしく、ケイ素の波動エネルギーを利用しての飛行なのでしょう。
　それともう一つ、高校時代の数学で教わった、「直線数学と球体数学」の理論を思い出したのです。
　関英男先生は、

「月までといわず、火星、水星まででも瞬時に行けます。地球から離れるのに 10 分、他の星にゆっくり到着しても 10 分、どの星にも 20 分で行けるのですよ」とおっしゃいました。

　今は、地球数学と、それとは別に宇宙数学（球体数学）を考えなければ、理解できない時代になったのだろうかと思います。

　また、神坂新太郎先生から、

　「『宇宙人がアメリカの大統領に面会するから、あなたも同行しないか』と誘われて、ＵＦＯが迎えにきて乗り込むと、東京からワシントンまで２分だった。今夜は星がよく見えると思っていたけれど、星を観察するどころか、ほんの少し目ばたきするくらいの間だったよ」とお聞きしました。

　この日、迎えに来たのは、戦時中にＵＦＯをいっしょに作った、宇宙人と思われるラインフォルトだったとか。

　電気を得るために発電が必要である時代から、地中、空中、海水から、必要な電気を自由に、無尽蔵にいただける時代になってきました。

　まさに「宇宙の計らい」であり、このようなことをご指

導いただける時代に今あることを、感謝しなければなりません。

　私は90歳を過ぎても自分で歩行でき、行動でき、新製品の試作をさせていただけております。
　ご縁のある方々にも、試していただけたり、ご報告をいただけていますことにも、感謝いたします。
　ありがとうございます。

第三章　触媒充電ができるカタリーズテープとは

第四章　これからの道

◎論文－１（廃棄物学会発表）

◎論文－２
（未踏科学技術国際フォーラム発表・また、論文—１の英訳）

◎論文－3（進藤富春氏特別寄稿）

第一章　90 年の人生を振り返って

すべては「宇宙の計らい」

　人は誰でも、使命を持ってこの世に送り出してもらっているのではないだろうか。

　生まれてから90年経ってみて、そんな感じがしてならない。

　成功したこと、良かったことはもちろんであるが、失敗したことも悪いと思えた状況も、今となってはすべて、「宇宙の計らい」と思える。

　父は、私を商人になるように、幼い頃から仕込んでくれたような気がしている。

　私が4歳のときの3月13日、家業であった呉服店が、自宅もろとも火災で全焼し、隣家の八百屋にも飛び火してしまった。これについての私の記憶は、うろ覚えでしかない。

　はっきりとした記憶が始まるのは、祖母が寝たきりの病人になった暑い夏の日のことである。

　「今日は気分がいいから、山畑へ西瓜でも見に行くか」と、5歳年上の叔父と祖母と私の3人で、南京袋を持って山畑と呼んでいた畑へ行き、小さな西瓜を2〜3個採った。

　重いので引きずりながら歩き、何度も腰を下ろして休み、ようやく家に帰りつくと、祖母はそのまま床について

しまったという出来事があった。

　それから、祖母、曾祖母と相次いで亡くなり、その直後に母が看病疲れと、三男の大を出産したことで心臓脚気となり、時々発作を起こし、寝たきりの状態になってしまった。
　父は縫製業を営んでおり、住み込み従業員が３人、通勤者 12 〜 13 人の工場のことで手一杯だったため、小学校に入学したばかりの私が、毎朝５時に起床して、家族と住み込み従業員のための朝食を作った。
　この時の父は、夜遅くまで翌日の準備をし、真夜中には母の病気回復を願って水をかぶる水業もしており、本当に涙ぐましい生活を送っていた。

　こんな中にあって、父が私に商人業務や仕事の運営などについて、懇切丁寧に指導くださったことが、現在の 90 歳になる私に、今でも生きているのである。
　そのおかげで、警察官だった頃にも、巡回訪問連絡といって家庭訪問をするとき、不思議に、家の前に立つだけで家族の状態がおぼろげにわかっていたのだ。
　工場開業後は、訪問した工場の良否が判断でき、そのおかげで私の取引先は、非常に業績の良いお得意さんばかりであった。

例えば、「仕事が下向きになってしまって困っている」とお聞きすると、「それでは、関西の○○工場に聞いてみましょう」と、一時的でも仕事のお助けをすることがあった。

　すると今度は、私をお助けいただけることになるのである。

　素人の私が事業を始められ、現在があるのは良いお得意様のおかげ、またそれを補助していただけた従業員のおかげであった。

　もちろん、家族が、子供の給食費にも事欠く中でも、不満も言わずについてきてくれたおかげでもあった。

　私の一生の目的は、理科系の仕事であり、工場を経営することであった。

　高校の3年間、父に教わりながら、パン製造工場の製造責任者をした。

　農協がパン工場を閉鎖した後の製造設備を25万円で譲り受け、開業させていただいた。

　その時代、農家のコメの値段が一俵（60キロ）5円であったので、25万円とは大変な額であった。

　戦後の混乱期で、食料は乏しく、みんなが甘みに飢えて

いる時代であった。

　戦時中には中学校の運動場でサツマイモを作り、そのサツマイモで芋飴の作り方を教わった。

　そして、化学クラブでも、サッカリン製造を教わったおかげで、パンに甘みを足すことができ、「あそこのパンは甘くておいしい」と皆様に喜んでいただけた。

　農家の方には　、小麦一升でパン何個という物々交換をしていただいた。

　毎日のように、学校から帰宅すると早速着替えて前掛けをかけ、できたパンを自転車に積み、豊田自動車の社宅などへ出向いて、販売する日々であった。

　それで、1年で25万円の返済ができたのだ。

　その当時のコメの値段からして、工場を建設して商売をすることが、農業に比べていかに将来性があるかということを、深く認識させていただいたものだ。

　また、父からは、「人間は一生に3度のチャンスがあるが、それを逃すと一生浮かばれない。チャンスと見たら、果敢に行うこと」と、何度も教えていただけた。

　父にチャンスが訪れた時、まさに、一生に3度しかない、素晴らしく貴重なチャンスの掴み方をお見せいただいたこともあった。

第二次世界大戦前の長い不況の中、紡績工場が安城^{あんじょう}へ建設されたときのことであった。

　従業員宿舎で使用するという大量の布団の注文があり、受注の際、思い切って船一隻分の綿を海外から輸入した。

　しかし、綿はかさばることもあり、名鉄三河線の駅の倉庫に入りきらずに野積みになるという状況になった。

　そこで、倉庫に入り切らない綿はすぐに売り払うことにした。当時は綿が値上がりしていたため、輸入代金全額の支払いが外積みを売った分でまかなえたので、布団にして収めたものは、すべて利益になったのである。

　布団綿を作る綿打ち機を購入する時に、父と２人で遠方まで、リヤカーで機械を引き取りに行ったことを覚えている。

　それは戦前の、私が小学生のことであったが、そうした経験が、私の将来を決定づける土台になったことは事実である。

　しかし、大学卒業直前に私は内定取り消しにあい、偶然に目にした警察官募集のポスターで応募して採用していただけたが、これも私の一生で最大のチャンスをいただいといえる。

　だから、私は父のおかげで、一生のチャンスに恵まれた

気がしてならないのだ。

　そんなことがあって、我が家にも余裕ができた。
　小学校１年の終わり頃、父から、
　「利、勉強で一番になったら、サイドカーの付いた自転車を買ってやるぞ」と言われた。
　それを目指してがんばって勉強をしていたが、３月の終業式の日の成績優秀者を発表する際には、
　「一等賞　高木利治」と、私の名前が呼ばれた。
　意気揚々と賞状を持って家に帰ると、両親はとても喜んでくれた。
　そして、父が子供用サイドカー付きの赤くてきれいな自転車を、三輪自動車に載せて持ち帰り、私にくれたことを記憶している。

　しかし、だんだんと戦争の足音が近づき、家で働いてもらっていた男性従業員は、兵隊として出征し、縫製工場は郡内統合となり、生地も統制によって配給制となった。
　「子供が警察官になるようなことはないと思うが、もしもそうなった時、統制違反で警察沙汰になったら子供が困るから、縫製工場は廃業しよう」
　ということになり、農業をすることになった。

5歳上の、「お兄ちゃん」と呼んでいた叔父は工場勤務であったため、本家の田畑は、私が小学校5年生の頃から、父と二人で耕作していた。

　牛を飼って、牛に田起こしをさせると、父の言うことはよく聞くけれども、私のことは子供だとバカにして暴れたり、言うことを聞いてくれないかったことが、本当に情けなかった。

　それでも、学校では級長をして、号令をかけるだけでなく、クラスがきちんとなっていないと、統制不行き届きとして責任を負うことが多くなった。

　特に5年生、6年生の時は、学年だけでなく、部落ごとの通学団の団長、副団長としての責任も加わることになった。

　それも、警戒警報・空襲警報が出たとなると、通学団の一斉下校の指揮を取らなくてはならなかった。

　また、繊維不足から、蚕の餌になる桑の木の皮むきとか、男手が軍人として招集された家庭のお手伝いもあった。

　さらに、都会の子供の疎開で、学級1クラスが40人だったのが60人へ、60人だったのが100人へと増えていった。

記憶に残っているのは、昭和19年12月7日のことである。

中根さんという方が、兵隊として赴いた先からご帰還されるという日の真っ昼間、東南海地震が起きた。電車も動かなくなり、部落でも、一軒の家が倒壊した。

そのとき、右手人差し指が○○のため、三男、次女と一緒に、火鉢にあたって休んでいた時の地震で、二人を両脇に抱えて家を飛び出し、次男と母が稲こきをしていたところまで走って行った。

大きく揺れる家を見て、震えていたことは今でも忘れられない。

昭和20年、年が明けて1月13日の午前3時という真夜中、煌々と輝く月夜に、前にもまさる大きさの三河地震が起きた。

余震が多かったため、家の横の田に地震小屋を建て、田植えの時期が近くなるまで、雪の吹き込む小屋の中に布団を敷いて寝ていた。

その小屋から、名古屋、岡崎の空襲の恐ろしいほどの光を見て、震えていた記憶もある。

この時、3年生の時の担任であった牧先生が、ご自宅の下敷きになってお亡くなりになった。

6年生になると、私は朝礼の号令をすることになった。

　そこで、全校で600人ほどの、大半の生徒の名前を記憶していた。

第二次世界大戦戦時下、戦後の中学校時代

　竹村小学校卒業後、刈谷中学校に入学した。

　桜が満開の校庭に、小学校6年生のときに海洋少年団結成の会があり、郡中の小学校の級長が集ったのだが、そのとき知り合った、碧海郡の小学校の級長がいた。

　少年海兵団として、髙浜海員養成所にて結団式があった時、顔見知りになった何人かと再会し、挨拶したことを記憶している。

　中学校入学するとすぐ、軍事教練と同時に校庭を耕してサツマイモを作った。

　さらに、とれたサツマイモで石原先生から芋飴の作り方を習い、家へ帰ると毎日のように芋飴を作った。家中で、「うまい。うまい」と喜んで食べたのを覚えている。

　しかし、教室の隣の部屋は高射砲隊が控える部屋になっており、空襲警報のたびに兵隊さんは対応に追われ、私たちは帰宅することになった。

忘れもしないある日、20人ほどの同級生と警報帰宅の途中に、20機ほど飛んでいた敵の艦載機の一部から攻撃を受けた。

　あわてて道の側溝に転がり込み、なんとか全員が無事であった。

　恐る恐る見上げた敵機に乗っていた操縦兵の眼鏡顔が、今でも思い出される。

　そして、昭和20年8月15日、大浜の海岸近くの塩田で作業中だった正午12時、ラジオにて、天皇陛下の玉音放送があった。

　「気を付け」の掛け声で敬礼し、直立不動で放送を聞くも意味を理解できなかった。誰となく、

　「どうも、戦争に負けたらしいぞ」と言い出し、

　「そんな馬鹿な……」と周りはざわめいていた。

　それでも、その日は夕方まで塩田作業をして、名鉄三河線で帰宅しようと大浜駅まで行くと、我が家の近くの竹村駅の近くで艦載機に襲われ、電車は途中から不通となった。

　仕方なく徒歩にて帰宅すると、両親から、

　「今日は大変だったぞ」と聞いた。

その次の日から、米軍機が超低空飛行をするようになった。

　秋になると、学校の高射砲隊も、アメリカの進駐軍の指揮下に置かれた。

　アメリカ兵が刈谷中学校にも現れ、英語の先生が対応するもさっぱり言葉が通じず、教科書の英語はまったく通じないことが判明した。

　これは後に聞いた話だが、学校で教えていたのはキングズイングリッシュというイギリス英語で、アメリカ人の英語とは違っていたからであった。

　余談であるが、私が通った中央大学の英語の授業は、担当教授が黒人英語専門の神尾教授という方であった。

　卒業後、警察官になった時に、アメリカ人憲兵・ＭＰの何人かが黒人兵で、アメリカ英語がまったく通じなかった。それは、黒人英語が違っていたからだということが私にはわかった。

　私は神尾教授に教わっていたことで、黒人の曹長の言葉がよく理解できた次第であった。

　刈谷中学の２年生になると、学区制改革によって、刈谷

高等女学校と合併することになった。

　それで、刈谷高等学校の併設中学校の２年生となった時、私のいた２組に女学校の生徒さんが入ってきた。

　はからずも、小学校当時、海員養成所長であった方の娘さんも同級生になられたのは、奇縁であった。

　私は、日頃から母に、

　「どんな場に出ても、人に笑われないように。文を書くなら、読んで頂ける文を書くこと。人の前に出て話をするときも、聞いて頂ける話をすること」と言われていた。

　小学校当時は級長として、６年生になった時には全校生徒の前で号令、報告などをさせていただいていたことから、人前であがることはなかったが、場所の雰囲気を読む勉強をするために、弁論部に入部した。

　そして、弁論大会へ出場すると、当時の愛知県には、後に国会議員から総理大臣になられた海部俊樹氏、岡崎の山本卓也氏、岡崎女子高等学校の小島さんといった有名な弁士がいて、大いに勉強になった。

高校時代に初めての開業

　併設中学からは、刈谷高等学校へエスカレーター式に入学した。

　その時には、農協のパン工場が廃業になり、父が、

　「利、農協がパン屋を廃業するが、パン屋をやる気はないか」と提案してくれたので、

　「お父さん、今ならチャンスです。やりましょう」と答えた。

　そこで、３日間、農協のパン工場でパンの製造法を教わり、開業した。

　ここからは、拙著でも何度も書いたとおりだが、毎日、

・午前零時起床

・すぐにパン生地仕込み

・学校の予習復習

・４時に生地を丸めて焼成

・７時の電車で刈谷高校へ（１時間に２本しかない通学電車に乗り遅れると、「今日も遅刻」といわれる中、頭を下げて入室）

　しかし、放課後のクラブ活動は化学クラブに入り、サッカリンなどの甘味料作りの勉強に励んだ。

　おかげさまで、「高木のパンは、芋飴が使ってあって甘

い」と評判になり、現在のトヨタ生活協同組合にも納品させて頂けるようになった。

　そして、1年で開業資金の25万円を完済し、3年生になって卒業する頃には、60万円の貯金ができた。

　大学受験となり、統一一次試験はどこも合格圏内だったので、湯川秀樹博士がおられる京都大学か、電車通学できる名古屋大学への進学を希望した。

　すると、職員室に呼ばれ、教頭先生から、

　「君は理科系を志望のようだが、理科系の勉強は一生できるが、人間を作るのは今しかない。文化系へ進学し、人間を作り直してきなさい」と言われた。

　差し出されたのは、中央大学の願書であった。

　中央大学なら法科以外にないと思い、先生の言葉に従うことにして受験すると、合格を頂くことができた。

　せめて1科目だけでもと名古屋大学の第一時限の試験のみ受けたのだが、15分で全問回答をすることができたので、挙手して退席した。

　「たいしたことないな。これなら中央へ行こう」と、決意を新たにした次第であった。

大学にて人間作り

当時、中央大学の授業料は1年で9500円であった。ところが、もともと物価が高い東京で、しかも激しいインフレが起きていて、部屋代が1ヶ月に3000円もした。

だが、刈谷高校の中学時代からの先輩が、知人だった東京大学学生寮の所有者に依頼して、一部屋1000円だったところに二人で入室することで、一人500円で住まわせていただけることになった。

そして、隣室の東大生の東京生活をつぶさに見学させて頂き、東大生と中央大学の先輩の行動を見るに、やはり東大生は知能は優秀でも、中央大学の先輩の行動力、社会生活において優れている点が目立ち、ありがたかった。

大学の授業は選択科目で、毎日通学する必要はないので、どこかの部へ入部して体力をつけようと学内を回ると、「ボート部新設。部員募集」という張り紙があった。

ふらりと部室へ入ると、

「おい、大きいのが来たぞ。すぐ入部してくれ」と言われ、入部届出書を渡されて、その日に入部することになった。

当初は、部室も階段の下の小部屋だった。腹筋、足の上

下スクワットなど、体力についてはは農家で2俵の米を同時に持つ力があったので、問題なかった。

　コーチの北川さんがこられて、ボートに乗船しての練習が始まると、体はきついけれども本当に充実した体力・精神力の鍛錬になった。

　ところが、インフレがすさまじかったので食費だけでも大変で、実家から米とお金を送ってもらうのも心苦しく、なにかアルバイトをしようと思い立った。

　1日300円のアルバイトに行くと、160キロの砂糖俵を船から担いで車に積み込む仕事だった。これには、1日で参ってしまった。

　そのうち、ボート部のマネージャーの山県さんが、後楽園の切符切の仕事を探してきてくれて、ダブルヘッダーの時は、弁当付きで500円がもらえた。これは、本当にありがたかった。

　新設されたボート部では、借り物の船しかなかったので、レースは厳しいものとなっていた。

　そこで、ボートの購入費50万円の寄付をお願いするために、卒業生の先輩方の会社訪問を分担することになり、私は小学校の校長先生にもお願いした。

　それでも全然足りなかったところ、東京都競馬の社長様

が、10万円も出してくださった。

また、飯野海運の俣野健輔社長様にもお願いしようと会社をお尋ねすると、面会希望者がすでに50人ほどいた。

秘書の方に面会をお願いすると、直接社長室へ案内して頂けた。ボート1艘を新造したいという希望を伝えると、

「それはめでたい。いくら必要なのか」と聞かれた。

「50万円でございます」と答えると、秘書に命じてくださり、会計課長さんから50万円の小切手を頂けた。

その上、社長室の裏口から出かけて、近くの高級喫茶店で、食パン付き1人前1000円のコーヒーを、同行の先輩と三人でご馳走になった。

当時は、コーヒー一杯、30円〜35円の時代だったから、とても贅沢なメニューであった。

この時、「自分も将来は必ず、寄付のできる会社を作るぞ」と心に決めていた。

法学部だからといっても、裁判官や弁護士ではなく、後輩や社会に寄付ができる会社経営の勉強をしたかった。これは、父から再三ご教示頂いた教えに通じる。

そこで、卒業に際しては、販売の極意を学びたいと商社を希望した。

ボート部の先輩が就職している商社を受けて、入社内定

をもらって安心していたところ、2月になって、「経済界の不況により採用できないことになりました」という、一枚の葉書が届いた。

　これで一転して、人生お先真っ暗になったが、ちょうどその時、「父入院、すぐ帰れ」という電報が届いた。

　悪いことは重なると思ったが、直ちに戻ると、父は安城の厚生病院に盲腸で入院しており、一晩付き添って家に帰った。

　父の入院のせいで家族は暗かったため、内定取り消しの話もできず、学校へ行って、教務課に相談した。

　すると、某省で法律改正のため、職員募集があるから応募してはどうかとご紹介頂き、出省した。ところが、先入職員が、部長以下、課長も係長も全員東大卒だと聞き、「もしこのまま居残れたとしても、これではだめだ」とすぐに退職した。

　たまたま、父の入院が卒業試験のときであり、1科目が受験できなかったので、一年留年すべきかと思いながら、岐阜の後輩に、合宿への参加を伝えようと岐阜に向かった。

　岐阜駅に着くと、「県警官募集」のポスターが目に入った。

　さっそく、応募することを決めると、受験番号は1250番台という多数の応募者で、大学出は採用しないと言われ

たが、ありがたいことに 20 人の枠の一人としてご採用いただけた。

　今考えると、これが最高の出来事であった気がしてならない。警察官となったことで、素晴らしい人生経験を積むことができた。

社会人としての新たなるスタート

　そして、長男であった私は、母の進める女性以外と結婚する気はもともとなく、母が、「今時、こんなにいい娘はないぞ」と勧めてくれた現在の妻と一緒になった、

　安月給で苦労を掛けたけれども、なるほど、どんな仕事についてもこなしてくれる女性であった。

　「親の意見と、茄子の花は、千に一つの無駄はない」というが、そのとおりだと思う。

　採用後の一年間は、警察学校に入学することになった。

　ところが、まだ卒業していないので、困ったと思いつつ大学に警察官に採用決定したことを知らせると、特別追試の通知を頂くことができた。

　警察学校では、最初の1ヶ月は外出禁止だったが、特別

外出許可を頂き、無事に卒業証書を持って帰ることができた。

　また、その当時、高岡町長が親戚の伯父であり、警察学校の入校祝と戸籍謄本を送ってくださったことが本当にありがたかった。

　1年後、警察学校卒業式の当日、同級生一同が集団赤痢にかかり、特に私は重症だったため、数日間は父が見舞いに来てくれたほどであった。

　卒業後も1ヶ月間は、特別病気休養となった。

　配属先は、進駐軍のキャンプのあった各務ヶ原警察署で、仕事内容は、「ＭＰ」（＊アメリカ陸軍の憲兵）の腕章を腕に巻いた、アメリカ軍の憲兵さんと行う警邏であった。

　新しい制服を着用し、その日に窃盗犯を検挙して、新聞の見出しになった。

　私は不思議とＭＰと話ができたことが、ありがたかった。

　警察官の仕事というものは、退職後、何年経っても言ってはならないことがあるので、いろいろと公表はできないけれども、私にとってはかけがえのない、素晴らしいことであった。「あれは良かった」と思い出すことが多い。

　警察官になれて、本当に良かったと思う。

父の教えのありがたさ

１．親の意見となすびの花は、千に一つの無駄はない（母が畑で教えて下さった）。

２．人生には３回のチャンスがある。うまくとらえた者は成功者、気がつかずに外した者は凡人か落第者。

３．商人道は、駆け引き。己を知り、相手 (お得意様)を知り、相手に勝つ。それが成功の道である。

４．経験を積み、学ぶこと。

５．基本は家族。家族を思い、団結すること。わからないことは尋ねること。わかるとは理解すること。理解できるまで徹底的に尋ねて、自分のものにする。

６．判るまで尋ねて、経験すること。

７．経験を積み、チャンスと見たら邁進すること。

戦前戦後の無農薬無肥料

「無農薬無肥料」は、リンゴ農家の木村秋則先生がおっしゃる中でも、有名な言葉である。

先述のとおり、戦時中には、それまでの家業だった「高木縫製所」が、単独では営業できなくなった。

農業をしていた母方の祖父は、再婚して名古屋へ出て遊戯場を経営することになり、農地は私の両親が引き継ぐことになったので、小学生だった私も手伝うことになった。

　私が小学校に入学した年に母が早世し、祖母が病没すると、祖父は再婚するということで、叔父（母の弟）や曾祖母を残して、実家を捨てて後妻と共に名古屋へ出てしまったのである。

　農業を引き継ぐはずの叔父は、私よりも５歳上で、小学校から高等小学校へ入学したばかりだった。

　その頃は、畑はまだ実家の排泄物 (糞便) が主体で、田んぼには粉肥料が入っていた気がする。だが、戦中戦後は、肥料になるものは一切なかった。

　戦争が始まると、化学肥料はほとんど配給になり、販売されなくなったので、雑草に排泄物をかけて発酵させて肥料にしていた。

　その頃から、肥料を作るための化学実験に興味が湧き始めて、中学校へ入ったら、理科の勉強を始めようと思うようになった。

　ところが、私が小学校３年生になった頃には、大東亜戦争という第二次世界大戦が勃発し、農家であっても農業ど

ころではない時代になり、若者と、さらに中年の一家の大黒柱にさえ、赤紙という召集令状が届いた。

そんな時代だったので、小学生は、男性が出征して人手不足の農家のお手伝いをしていた。

中学生は学徒動員といって、労働力不足を補うために、軍需産業や食料生産に動員されていた。

1年生は、中学校の運動場を畑にして、サツマイモを作る農作業を経験した。

自宅では、田植えの前に、前年の稲藁や、田んぼの周りの草を肥料にするのが一般的であったように覚えている。

中学1年生のときの8月15日、終戦の日は、学徒動員にて塩田作業をし、翌日からは B29 が超低空にて飛び回り、情けないことに農作業どころではなかった記憶しかない。

戦後は、高校時代はパン製造業をしていたので農作業の記憶が少ないし、農作業が忙しい時期になると、農作業のおやつとしてパンをお求めいただける機会も増えたので、パン工場に、母か私が店番としている必要があった。

高校を卒業すると東京の大学に行き、卒業後は岐阜県の警察官に採用されて、直接の農作業とは無縁であった。

戦後は工業が優先されるようになり、農場経営は農業法

人に委託され、工業地帯では若者のほとんどが工場勤務の
サラリーマンになったが、まさか世の中がこのように変貌
するとは信じられなかった。

　警察官退職後、実家へ帰ると、農地は、工場や自動車工
業の関連会社、倉庫になっていた。
　自宅では、父は縫製業、次男は名古屋にいたが青果市場
を退職して八百屋を営み、三男は自動車関連の鋳物工場の
課長になっており、実家の田の管理はすべて、農業法人に
委託していた。
　私は、本来の希望であった理科系の製造業を目指して、
金属表面処理技術の改良を主眼に開業し、これについては
前述のとおりである。

高木特殊工業について

　現在はすでに、「合同会社波動科学研究所」を設立して
いて、土壌改良による無農薬無肥料の実験に成功している。
　また、稲作については、以前、農業法人から田んぼを
10年間借り受け、稲の苗を植えて、除草もせずに通常の
20％増収で収穫し、さらに味も申し分のない美味しいも

のができた。これは、リンゴの木村先生の数学にも通じる。

　私の製造技術については、「自然エネルギーを考える会」の百五十人の会員に委託して試験していただき、さまざまな結果を知ることで、新製品の試作をすることができた。

　すでに発表させていただいた、工業製品である。

　しかし、会員から、

「京都大学の林教授が、厚生省からガンの薬品開発を依頼され、できたところで提出したら、『こんなものができたら医者も病院もつぶれるではないか』とお叱りを受けた」と聞いたことで、その試作品は不採用にすることにした。

　仕方なく、土壌改良材として使ってみると、無農薬無肥料で、味もよく素晴らしいイチゴ、ほうれんそう、人参ができたが、今度は農協からストップが出てしまった。

　よいものが必ずしも普及するとは限らないという、よい例かと思う。

　これは、私の実験の基礎である。

トーステン・スピッツアー博士

　久しぶりに、ドイツのスピッツアー博士から電話があっ

た。

「高木さん、お元気ですか？」と。

「ドイツはいかがですか？」と尋ねると、

「今、日本に来ています」とのお返事で驚いた。

コロナが始まってからは、世界中で旅行はほぼ禁止となっており、ドイツからはクリスマスカードなどの郵便か、国際電話以外は連絡手段がなかった。

思い返せば、スピッツアー博士とのご縁は、国際学会論文の翻訳を校正いただくために、ジョン・シールズ先生にご紹介いただいたのが始まりであった。また、スピッツアー博士とは、いつでも来日いただけるように会社で顧問契約を結んでいる。

彼は、ドイツの大学、英国のハノーバー大学、日本の名古屋大学を卒業された、農学博士である。そして、私の開発品について、ヨーロッパ向けとして評価を得るにはどうしたらよいかをいつもご相談している。

現在試作中のコースター等々について、さっそく見本をお渡しし、使用していただけるようにお願いをした。

かつて船井幸雄先生が、

「これはすごいパワーですね。パワーリングと呼ぶようにしてはどうですか」と命名くださり、同行された商社の

社長さんが販売してくださって、それがガンの患者さんに渡り、ガンが消滅したと連絡がきたため、薬事法に触れることを懸念して、販売中止にしたことがあった。

　販売してくださった社長さんも引退なさって、今は後継者の息子さんが社長である。その息子さんは、

　「見映えのいい包装がなければ受け付けられません。ただで配るならば1ヶ月に500個ほどください」といわれた。

　このとき、豊田市内の自然食品販売の社長様（「はじめに」で書いた取引先の社長様）から、

　「何か良い物を開発されたと聞きました。販売させていただけませんでしょうか」とお電話をいただいた。

　「お役に立つならば、ぜひお願いします。値段は、お求めいただける金額でけっこうです。一度、見ていただけませんか？」と申し上げ、数種類をお渡しした。

　そして、次にお店を訪問させていただけたときに息子様とお話しして、販売をお願いすることに決めた次第である。

　私の希望としては、お客様の役に立って喜んで頂けるのがありがたいので、値段は重要ではない。昨年の3月に、コロナから命を救っていただいただけで、十分にありがたいからである。

第二章　電気とは

電気とは

「電気って何だろう？」

橘高啓先生をお招きしての講演で、お聞きしたことがある。

太陽光発電が、新時代の発電として脚光を浴びている頃のことであるが、

「太陽光とは何でしょうか。この光は波長の集合体であり、ケイ素に通過させれば電気になり、電気にケイ素を通過させれば光に戻る (電球の仕組み)」

とのことであった。

波長には、光を伴うものもあれば、光を伴わないものもある。さらには、音を伴うものもある。

紫外線から赤外線まで本当にたくさんの波長があり、これらをうまく使えば、世の中からあらゆる問題がなくなるのではないか。仕事の問題も病気の問題も、すべてが解決できる。

それをかなえる物質はまさに、ケイ素であるという気がしてきているのだが、いかがなものであろうか。

これに関連するかどうかはさておき、保江邦夫先生のお

話にもあったが、雑念の多い人間では、ＵＦＯは操縦できないということであった。

　神坂新太郎先生や、宇宙人のように思えたラインフォルト、それから、水の神秘性を探究した、科学者であり、発明家だったビクトル・シャウベルガーなどでこそ、空飛ぶ飛行機を制作することができたのではなかろうか。

　そして、それこそが我々の直感、または空想、そして、関英男先生がおっしゃる念波に通じるものでなかろうか。

　そのようなことを考えていると、知り合いの宮野さんが、『第４の水の相 ―固体・液体・気体を超えて―』（ナチュラルスピリット）という、ワシントン大学教授のジェラルド・Ｈ・ボラックの書いた本を送ってくださった。

　水には、個体（氷）、液体、気体という３相があるというのが、現在までの概念であった。

　しかし、その本の論点を要約すると、雲になり水蒸気になる水は、電気そのものにもなり、その様相はまったく異なっているとのこと。

　考えてみると、水とは１個の酸素と２個の水素の結合体であり、電荷を帯びることは至極普通のことではあるまいか。

　いや、もっと言うなら、すべての元素そのものに、同じ

ことが言えるのではなかろうか……。

　すなわち、すべての物質は電気そのものであり、それを人類の役立つものに利用するか、または軍事兵器に用いるかで、有用物にも、危険物にもなるのである。戦国時代には、水攻めという兵器にもなっていた。

　本書を執筆している現在は、大雨による大洪水に悩まされている九州地方の皆様が本当にお気の毒ではあるが、水は大地を育み、乾いた喉をいやしてくれる大切なものでもある。

　コップ一杯の水に特殊な石を入れれば、電気がとれる、すなわち電池にもなる。

　電気とは、すべての物質の中でも、われわれ人間に役立つものの形態として、もっとも役に立つものではなかろうか。

　いつも情報をいただける知り合いの塩田さんから、先端技術研究機構が発表した、「ＡＧＳデバイス電池」のことをお聞きした。

　そこに使われている科学技術とは、電池が劣化しないという万年電池の技術であり、少し工夫すれば地球人でも開発可能な技術のようだ。しかし、最終工程の金属元素の配

列が操作できない故に、いまだ発明に至っていないという。

けれども、数年前から研究している我々の仲間は、「いずれ形になるだろう」と言っている。万年電池といっても、金属原子の摩耗寿命はあるので、20〜30年が限度であろう。

一部の電池メーカーでは、すでに開発済みとも聞いている。

私の技術を用いて、「バッテリーが20年もったよ」という報告があったということは、携帯電話の充電器もバッテリーも、20〜30年は充電不要にすることが可能ということであろうか。これぞまさに、波動充電であり、波動発電に通じる。

私は、理科系大好き人間であるが、何度も申し上げているように、進学に際し、

「君は理科系志望のようだが、理科系の勉強は一生できるが、人間を作るのは今しかない。文化系で人間を作り変えてこい」

とご指導をいただき、法学部に進学した。

おかげで、理科系の基礎はゼロであり、興味はあっても実験以外には実用の証明もしようがなく、参考になる本を頼りに、実験を開始した。

不明の部分は各分野の先生方に講演をお願いし、そのご

指導と、「自然エネルギーを考える会」の皆様のご意見を拝聴している次第である。

　最初は、警察官を退職後に始めたメッキ業への必要から、環境の浄化、水の浄化へ関心を持ち、工場建設のとき、同級生の早崎君から『水』という本をいただいたことで、浄化をするなら鉱石がいいことに気づき、石に関心を持った。

　水に鉱石を作用させると、不思議に電気が発生することがわかり、関英男先生をお尋ねして、ＵＦＯの動力源が水晶であると教わった。

　また、実藤遠先生の、『ニコラ・テスラの地震兵器と超能力エネルギー』（たま出版）に出会い、クリスタルについて、反重力の効果があるとわかった。

　また、明窓出版から発刊された『フリーエネルギーはいつ完成するのか』で、著者となっている８名の先生方の本に出会い、その後、ケシュ財団の技術に出会って、さらに実験の範囲が広まった次第である。

　私の製品開発の出発点は、鉱石による、電気がなくなり廃棄された乾電池の再生、バッテリーの再生、電池時計の再起動などであった。

鉱石でできることの実験を繰り返すことで、電気自動車の自動充電の可能性も見出した。

　これは、波動の発表論文にもあるが、業者ごときは神聖な学会では発表禁止のようである。業者とは、学会を汚す者ということであろうか。

　そして、関英男先生からいただいた、『念波』（加速学園出版部）という書籍も気にかかる。

　私が作る製品は、不思議なことに、「本当にできるのか」などという疑問を持たれる方には、反応しない。

　やはり、「念」などによるところも大きく、現在の科学では解明できない部分があるのだろう。

厚メッキ

　私が始めた当初のメッキは、0.3ミリ〜1ミリといった、厚メッキが中心であった。

　保健所に届け出に行くと、シアンを使用しているもの以外は届けの必要はないということで、「会社名だけ聞いておきます」といわれたので、用紙に記入だけして帰ってきた。

　その後、公害規制の法律が強化されて、毎日、50立方メー

ター以上の排水をする企業については申告義務が生じて、保健所の立ち入りが強化された。

そして、「メッキ槽の横からも下からも点検できるようにすること」と、保健所の課長様からの命令が出て、せっかく立ち上がってお得意様がお喜びいただいていたのに、そのままでは廃業の危機という状況に直面した。

そのために、工場を建て替えなくてはならなくなり、竹中工務店の営業部長だった同級生の早崎君に相談すると、

「君も水を使う商売ならば、この本を読んで勉強するといいぞ」と、丹羽靱負医学博士の『水』という本を頂いたのは先述のとおりである。内容として、「癌にならない水」も作れるという記述があったと記憶している。

大借金での建て替え工事であったため多額の融資をしてもらっていたので、なんとか借金を返そうと、「外国にはどのようなメッキ技術があるのでしょうか」と美濃商店にご相談したところ、ちょうどドイツへの視察旅行を計画されている、通訳の川村様をご紹介いただけた。

そこで、後継者である長女の清世と二人で同行させていただき、ドイツのメッキ工場を見学することができた。

その頃ドイツでは、クロームメッキはすでに使われなく

なっており、複合メッキが中心で、摺動性（＊素材表面の滑らかさ〈摩擦の少なさ〉）の高いものとしてはテフロンが主に使用されていた。

　硬度が必要なものは、セラミック複合メッキであった。

　そこで、テフロン複合メッキのライセンス交渉に赴くことにした。

　首尾よくライセンスを所得して試作品を制作し、お取引先の他、豊田自動車関連会社を中心に営業に回らせていただいたが、皆様の関心はゼロであった。

　そんな時、日刊工業新聞に広告を掲載してもらったところ、それを見た関東の機械メーカーの重役様が３人でおいでになり、

　「広告を見ましたが、ぜひ、試作品を１万個お願いします。もちろん、有償でけっこうですから、さっそくお願いしたいです」

　と、ご注文くださった。仕上げて持参すると、よい結果になったようで、

　「この条件で今後、受注をお願い致します」と、即刻ご注文をいただくことができた。

　このように、新工場建設のおかげもあってたくさんの仕事の受注ができたが、今度は、従業員不足の問題が起きた。

このとき、警察官時代に「特別法」という外国人登録法
があったことを思い出した。

　知り合いの萩野正行君と相談して、合法的に人員が採用
できると聞いたブラジルへ行き、戦前、父が経営していた
縫製工場で縫製工としてお勤めいただいていた久野さんを
訪ねた。

　すると、その息子さんにお越しいただけることになり、
さらにブラジルの豊田自動車の社長様、豊田工機の社長様
をお訪ねして、日系２世の素晴らしい方に来ていただける
ようになった。

　参考までに申し上げると、私どもの会社で働いていただ
き、数十年後に帰国された方が、喜ばしいことに有名会社
の南米総局長や、ブラジル豊田の関連会社の工場長様にご
出世なさって、私のところにも今もお尋ねいただけている。
本当に、ありがたいことであり、感謝にたえない。

　ブラジルでもさまざまなエピソードがあり、それだけで
も、１冊の本ができそうである。

　そして、開業直後、中央精機様からいただいた、２日で
２ミリ以上の厚メッキを施したいという特別注文につい
て、無事に完成させ、納品させていただけたのも、ライセ
ンスを取得していた高速厚メッキの技術があったからこそ

である。

「どうしたらできるのですか？」という質問を数社から
いただいたが、

「メッキを始めたばかりの素人ですから、新しいことに
チャレンジできました」とお答えした。

高木特殊工業の発足

恩給権 (現在の年金) をいただける期日が到来した翌日、
退職願いを提出しようとすると、妻に、

「やっと生活ができる給料をいただきかけたというの
に、また最初からやり直しですか」と言われ、家族に反対
された。

しかし、この後からが、私の本来の希望である、理科系
工業への進出であった。

幼少の頃より父から指導いただいた実業の世界へ進みた
いという希望は強く、やはり警察は退職させてもらうこと
にした。

そこで、退職願いを警察署長に提出したが、

「なぜ退職するのか。退職しても、また再雇用願いを出

して戻って来る者がほとんどだ。もう一度考え直せ」と、再考を促された。しかし、私の決意は固く、

　「ありがとうございます。でも私の本業は、理科系の製造業だと思っています。警察官になり、人間としてのあり方を勉強させていただきました。ありがとうございました」と申し上げた。

　地域の町村や、学校関係の方からも「考え直してほしい」と言っていただき、ありがたさが身にしみた。さらに、

　「岐阜県は繊維関係の仕事が多いですが、現在、中国進出のためにどこの会社も大変です。あなたは自動車工業が盛んな豊田出身ですから、自動車関連の仕事をこちらでもお願いできませんか」と県や町村の方々から言われ、これも本当にありがたかった。

　そして、父に許可をいただき、生まれ故郷に帰ってみると、

　「なんで帰ってきた。すぐ出て行け」と兄弟夫婦にどやされた。

　けれども、帰る場所は他にはなかったので、私の家族には本当につらい思いをさせた。

理科系製造業発足の経緯

　父が私に、「こんな仕事はどうか」と、『プラスチックのメッキ』という1冊の本を買ってきてくれた。

　以前には、伊勢湾台風で実家が全壊になっていたのだが、見舞いに行く許可がいただけず、申し訳ないと思っていた。

　ありがたいことに、妹夫婦が隣地に引っ越してくれたお陰で、長男の私は父の同意を得て、警察署に務めさせていただいた次第であった。

　大学卒業時には就職内定の取り消しに合い、困難な状況もあったが、ご縁をいただき、警察署という就職先をいただいた岐阜県であったが、私の希望は、我が国はもとより、世界に貢献できる研究をして、世の中のお役に立つことであった。

　それについては父も同意見であり、「世界を回って、世界に役立つ仕事をする」という前提で、大学進学に際しては「商船大学」を勧めてくださったほどであった。

　本を頼りに、さっそく、自動車のバッテリーから電気を取り、コップやインスタントコーヒーが入っていた瓶にメッキを試してみた。

妹夫婦は、隣地でプラスチックの成型工場を営んでいたが、妹の夫の藤本さんには、わざわざ名古屋まで連れて行ってもらって、メッキ材料商店の「美濃商店」を紹介していただいた。

　藤本さんにはプラスチック成型の不良品の小物をいただき、プラスチック専用のメッキ薬品を購入して試してみると、成功した。

　これが最初のメッキであり、最初の感激であった。

　しかし、プラスチックのメッキを本業として商売するには、数千万円の設備が必要であり、専門工場は県内にもたくさんあるとのことで、少ない資金で発足できる、メッキの仕事はないだろうかと考えていた。

　すると、豊田系の鋳物工場に勤める弟の大が、

　「兄貴、今アメリカでは、金型にメッキをして、金型の寿命を延ばしているそうだ」と教えてくれたので、俄然興味が湧くこととなった。

　しかし、プラスチックメッキと金型メッキとは全然違うようであった。

　そこで、美濃商店で、薬品の調合メッキ方法や、「バフ」という磨き方法までご指導いただいて、金型メッキ用のメッキ槽をお願いした。

晴れて、金型専門のメッキ工場としての操業開始である。

　ただ、操業開始といっても、まずは、発注をいただけるような仕事探しからのスタートであった。

　岐阜県警察学校の先生であった大竹先生、和田先生にご挨拶に行くと、社名について大竹先生は、「高木ホワイトか、特殊工業ではどうか」とアドバイスくださった。

　そこで父と相談して、「高木特殊工業株式会社」とし、父には「代表取締役社長への就任」を快諾してもらい、「高木特殊工業株式会社 代表取締役社長　高木七夫」と書かれた名刺を作成してもらった。

　高校３年間、パン製造販売の仕事をお任せいただき、農家では米１俵（60キロ）を５円で出荷していた時代に、設立資金25万円を借金してもらい、１年で返済することを達成したという実績を認めて、父は私を信頼して許可いただけたと思っている。

金型メッキ操業開始

　いよいよ操業開始となり、小学校同級生の「三和シェル」の社長である萩野正行君の会社へ行くと、営業マンの方がちょうど来ていて、

「仕事をお始めですか。おめでとうございます。自分のためではなく、相手の利益になると思ったら、どんな大会社へも胸を張ってお行きなさい」とアドバイスしてくれた。

そのお方は加古さんとおっしゃったと記憶しているが、大変ありがたいお言葉をいただいたものだった。

加古さんは愛知県碧南市の方で、

「碧南には『旭鉄工』という会社がありまして、今から私も行きますのでご紹介します」と言ってくれた。

さっそくお願いし、旭鉄工の部長様に名刺を差し出して、

「新しく金型のメッキを始めることになりました」とご挨拶すると、

「見積書と、会社の経歴書をお見せください」と言われた。

「経歴書とは何ですか」と聞くと、

「経歴書とはね、会社の履歴書みたいなものですがね」とのこと。そして、

「課長、面白いのが来たぞ。一緒に会社を見せていただこうじゃないか」とおっしゃった。

「え……会社ですか」

「会社ではないのですか」

「会社ですが、始めたばかりですので」

「それならさっそく、課長と見せてもらいます」

そう言われて、本当にいらしてしまった。

ご案内したのは、鳥小屋の中のメッキタンクだった。鳥が卵を産んでいるすぐそばにあるメッキタンクを見て、

　「ウーン、これは工場ではないね。上のほうに見えた、建築中の建物が、本当のメッキ工場ですか？」と、建設中だった工場を見ながらおっしゃった。そして、

　「あなたは大したものだ。この状況でうちの会社に営業に来るとは」

と感心された。

　その結果、購買部長さんが金型の課長様に、

　「今、発注している、金型メッキの納品書のひな型を出してあげなさい」と言ってくださり、これが第1の受注となったのであった。

　ところが、第1号の受注品を見て驚いた。金型というものの重量が、はるかに超えるものだったのである。

　大学時代に、ボード部で鍛えた自信など何処へやら、万力でも持ち上がらず、藤本製作所の藤本さんにチェーンブロックをお借りして、なんとか始めての仕事をさせていただいた次第である。

　次は、弟の勤務している高岡工業の鋳物会社の金型で、先に失敗していたという鋳物型に再挑戦した。

鋳物用の金型はざらつきがあってはダメで、先述のように
にバフという磨きが必要である。

　そこで、磨き専門のバフ屋に行ってお願いすると、火花
を散らしながらピカピカに磨き上げていただけた。

　それをしっかり見させていただき、それからは、前後の
磨き工程の従業員を雇うことにした。

　次に、大豊工業という会社へお伺いしたとき、三宅課長
にご面会いただけて、

　「おい係長、面白い方が来たから会ってみないか」と声
をかけられて出ていらしたのが鳥居係長だった。

　「おや、高木さんではないですか」

　「鳥居さんではないですか」と、私も驚いた。

　この鳥居係長は、高校時代に開業していたパンの製造販
売のときの、お得意様の息子さんだった。

　「珍しいですね。今度は金型メッキですか。　上手にやっ
てください」と言われて、一型をお借りした次第である。

　そんなとき、以前一度訪問させていただいた中央精機と
いう会社の部長様から、

　「先日は失礼いたしましたが、ちょっとお越しいただけ
ませんでしょうか」と連絡が入った。

　さっそくお訪ねすると、

「うちの機会のベアリングあたりがかじって壊れてしまい、困ったことになりました。３日間で修正しないといけないのですが、何とかお願いできませんか」ということだった。

　見れば、直径 20 センチメートル、長さ４メートルの、重量もかなりある大きなものだった。

　「先日おうかがいしたとき、大会社とお取引があるとお聞きしました。ぜひその会社にお願いください」とお答えすると、

　「そこでは、無理だと断られました。ですので、御社にぜひお願いしたい」と言われた。

　そこで、

　「わかりました。その代わり、お願いがあります。現在、名古屋に４メートルのメッキ槽を注文してあり、それがまだ納入されていません。ですので、そのメッキ槽を準備するお手伝いをしていただけませんでしょうか」と言うと、

　「わたくしどもで運びますから、ぜひお願いいたします」とのお答えだった。

　そして、部長様指揮のもと、大型トラックで届いたメッキ槽を 10 人で担いで運搬し、４メートルのシャフトセットまでお手伝いいただき、無事、２ミリのメッキが２日で

出来上がったのだ。

　心を込めたお礼のお言葉をいただいたが、本来なら、こちらがお礼を申し上げなければならないところであった。

　その後、

「納品書と請求書をお持ちください」と言われたが、

「ありがとうございます。でも、今後はこんな恐ろしい仕事はご勘弁ください。 それとメッキ槽までお運びいただきましたので、料金は配送料として引き換えということでいかがですか」とお答えした。

「それならば、せめて10万円でどうでしょうか」と続けて言ってくださったので、

「ありがとうございます。では10万円を半分ずつの気持ちで、5万円でいかがでしょうか」とお答えした。

　その時、部長さんは、３００万でも５００万でもお出しくださるつもりだったそうである。

「あなたの工場をお見せいただき、よくわかりました。今後はあなたの会社へ、うちの仕事をすべてお任せします。必要ならば、他の会社もご紹介いたします」と言ってくださり、本当にありがたいことであった。その後、

「２日で２ミリもの厚さでメッキをするなんて、どうやってできたのですか？」と、何社かからお問合せがあったが、これは、機密事項である。

第三章　触媒充電ができるカタリーズテープとは

カタリーズ（触媒）

　カタリーズテープとは、弊社で登録商標した、触媒物質を混入塗布された触媒テープの名称である。

　実は、当初、実験のために自動車の塗料として塗布したところ、事故車と間違われたことがあった。

　そこで、触媒物質を混入すると塗料が固形化することがわかっていたので、テープに塗布して、「カタリーズテープ」を作ったのだ。

　その頃は、クローム公害の問題があったクロームメッキの代替品として、公害を生じさせない高硬度表面処理ができるものを作るという目的もあった。

　しかし、そこで気づいたのは、硬度に代わる触媒効果があるということだった。

　触媒効果に気が付いたのは、車のディーラーに、自動車買い替えの相談に行った時に、自動車部品にメッキしたものを、たまたまそこにあった車のエンジンの上に置き忘れたことに始まった。

　その車に乗ったディーラーの社員さんが、「車が非常に調子がいい」とご報告くださったのだ。

　これを塗料に混入して塗布したところ、次々と新事実、

いろいろな方面に有効なことが判明し、これは製品化しようとカタリーズテープと名付けた。

　しかし、前にも述べたが、工業試験所には受け付けていただけなかったので、「自然エネルギーを考える会」を立ち上げて、会員に試験をお願いして、効果の確認をさせていただいた。
　そして、講師の先生をお招きしてご指導頂き、会員の勉強会も開いて、発表の場とすることとした。

　記しておかなければならないのは、故船井幸雄先生、故草柳大蔵先生、故関英男先生のご教示への感謝である。さらに、警察官退職後、技術を学ぼうと入学を希望した名古屋大学の、沖教授のご指導への感謝もある。
　高校卒業直前、恩師のクラス担任の坂田先生、加藤教頭先生から、
　「君は理科系志望のようだが、理科系の勉強は一生できるが、人間を作るのは今しかない」といわれて差し出されたのは、法学部で有名な中央大学の願書であった。
　もともとの希望は、湯川秀樹博士が教鞭を執られていた京都大学か、自宅から通学可能な名古屋大学の理科系であったが、恩師の勧めのとおりに中央大学に進み、結果、

素晴らしい大学生活を送ることができた。

　先生方がおっしゃったように、確かにここでの経験が、人間作りに貢献してくれたと思う。

　警察官退職後、事業のために勉強をしようと、名古屋大学の聴講生になるためにうかがった沖教授とお話しした際、

　「お聞きしましたところ、あなたには教えることはありません。わからないことがあったらお越しください。私でダメなら他の先生を紹介しますから」と言われた。

　そこで、名古屋大学の聴講生になることはかなわなかったが、先達が書かれた専門的な本などから、十分な知識をいただくことはできた。

　船井幸雄先生は、初対面のとき、

　「あなたの作る物のパワーはすごいですね。まるで、パワーリングですね」と言われた。

　そこで、その時にお見せしていたメッキをされたリングを、「パワーリング」と名付けた。

　草柳大蔵先生のご講演後に、「廃棄された電池を復帰させたという話を学会でしたら、発表後に、『業者ごときが……』と叱られました」

という話を草柳先生にすると、

「あなたの作るものは本物だよ。だからこそ、気をつけたほうがいいよ」とアドバイスしてくださった。

関英男先生は、訪問させていただいた研究室で、

「UFOはこれで飛んでいるんだよ」と、水晶（ケイ素）を見せてくださった。

私が今、こうしてあるのはすべて、前掲の諸先生方のご教示のおかげである。

本当にありがとうございます。

触媒充電テープにまつわる話（使用者様からのリポートなど）

保江邦夫博士の講演会にて。バッテリーカー、バッテリーフォークリフトなどのバッテリーに貼ると、電力が回復したことについて、「これは、現在の理論では説明ができない」とおっしゃられた。

市役所から、廃棄された乾電池、バッテリーの払い下げをいただき、テープを貼ると90％の乾電池、バッテリーが回復し、使用可能になった。これを講演会で発表したが、市役所からは、以降禁止という注意を受けた。

１．保江邦夫博士の講演会にて。バッテリーカー、バッテリーフォークリフトなどのバッテリーに貼ると、電力が回復したことについて、「これは、現在の理論では説明ができない」とおっしゃられた。

　２．市役所から、廃棄された乾電池、バッテリーの払い下げをいただき、テープを貼ると90％の乾電池、バッテリーが回復し、使用可能になった。これを講演会で発表したが、市役所からは、以降禁止という注意を受けた。

　３．車のエンジン近くに貼ると、走行性能が改善した。

　４．バッテリーのプラス側につけると、車の買い替えまでの20年間、交換不要であった。さらに、オイル交換も不要だった。

　５．大型フェリー船のエンジンに付けたら、燃費が20％以上よくなったが、それまではオイル交換が1週間で交換を必要としていたのが6ヶ月に1回で済むようになり、オイル店が悲鳴を上げて中止になった。

　６．2014年10月18日、岩崎士郎氏（空間エネルギー研究家）の講演会にて、実地、ご指導いただいた。

　７．車の排気ガスが出なくなり、黒煙も出なくなった。

　８．あるレーサーが、このテープを使用した車で発走した自動車レースにて、断然トップになった。

　９．蛍光灯に貼ったら、無電流なのに点灯した（これは

再実験の必要あり）。

10. 楽器に貼ると、音色が良くなった。

11. コップに貼ると、そこに注いだコーヒーはまろやかになるが、ビールは気が抜ける。

12. コースターに貼ると、コップの水がイオン水になるのか、電極を付けると1.5ボルト以上が観測された。

13. 農業では、苗床に設置したら、発芽や成長の促進が認められた。

14. プランター栽培の容器に添付したら、やはり発芽と成長の促進があった。

15. 災害地の照明器具や携帯電話の充電用に寄付したら、お医者様に渡り、ガンの患者さんが2週間〜1ヶ月で軽快したという報告があった。

16. ガンの手術前に、腰痛があったためテープを敷いて寝たら、ガンが消滅して手術が中止になった。

17. 治療師さんが、手術後の痛みのある患者さんの頭部に使用したら、楽になった。

18. 陰極・陽極間に塗料を添付して地中に埋設セットすると、電位を生じ、豆電球が点灯した。これによる地中発電の可能性があるのではないかと思った。

昨年3月には、コロナを体験したが、カタリーズテープ

を床に敷いて寝ることで、ずいぶんと楽になることができた。

コロナから回復して退院した日、トータルヘルスデザイン社の近藤社長様から『あなたに起こることは、すべて宇宙の計らい』（株式会社トータルヘルスデザイン）という、立花大敬先生の著書をいただき、リンゴ農家で有名な木村秋則先生の著書『すべては宇宙の采配』（東邦出版）を思い出した。

先述のように、京都大学の林先生の鉱石波動水で、不思議なことにガンが消えたこともあった。その鉱石はブラジルの鉱石で、この鉱石も屑物はタダのようなものであった。

これは、皆様へのご奉仕のために役立てるようにとの宇宙からのお導きだったのではないだろうか。

そして、残りの人生、生ある限り、宇宙からのお計らいに感謝しながら、世のため人のためになる実験に励んでいるところである。

道路発電所について

　「道路を使用した発電所を募集している」という記事を
どこかで見た気がするが、ネットなどで探しても見つから
ない。

　想像するに、道路の脇に太陽光発電のソーラーパネルを
並べて電力を蓄え、国中の道路の夜間の暗がりをなくそう
というものであろうか。

　だが、夜道を明るくしようとするアイデアは良いとして
も、道路脇に割れやすいガラスパネルを並べるとすると、
例えば車が通る際、石を跳ね飛ばしてパネルに損傷を与え
る可能性も高い。

　すると、直ちに発電能力はゼロになってしまう。

　そこで、私が提案したいのは、波動電池である。

　道路には、コンクリートブロックがあったり、なにかに
コンクリートが塗布されたりしたものが敷かれている。ま
た、アスファルトなどが、砂利の上にのっている道も多い。

　また、土の上にも、安定のために砂利を敷いて道にして
いるところがよく見られる。

　これに、電極として金属板、または金属線を張れば、波
動発電として、より安全に、かつ永続的に発電ができると

私には思えるのだが、いかがであろうか。

　そして、波動物質によって、交流電気にするか、直流電気にするかを選択できることが判明している。
　そうだとすれば、発電所から全国の道路に大量の電流を供給する必要は、もはやなくなるのではないだろうか。
　どんな田舎道も明るくなり、安心して運転したり、歩行をすることがきるようになるはずである。
　これぞ、まさに「道路を使用した発電」、それも波動発電である。

　日本中の道路の総延長はどれだけであろうかと調べてみると、令和２年３月31日現在で、約130万キロメートルほどだった。これがすべて発電所となったら、現在ある発電所のどれほどの電力をまかなえることか。
　また、災害、水害などのときにも、こうした発電があれば、非常に役に立つように思える。
　それから、家庭での発電については、各家庭に簡易発電施設を作ってみたらどうだろうか。

　先日、ＮＨＫＢＳにて、和歌山県の河川の様子を放送していた。

この川は見た目も素晴らしく、水がキレイなだけではなく、とても豊富な量の水が流れている。

　よく考えてみると、この川の波動電力で、近隣の家庭すべてが潤うのではないだろうか。

　しかし、現在の状況を見ると、誰もこうしたことを考えもしていないと思われる。

　かつて、ある先生の講演で、

　「日本は島国なので、近海に1キロ四方の浮洲を6個つくり、その上に風力・水力発電所を作れば、日本中の家庭電力をまかなえる」とお聞きした記憶がある。

　こうした知識のある先生の知恵を集めれば、島国日本は電力には困らないはずだ。それも、安価に作ることができるだろう。

　有名大学の教授でなくても、佐藤亮拿氏が、放射能を瞬時に除去するシステムを開発し、既に何台も国内に販売されている。東日本大震災の原発被害、特に汚染水の放射能を除去する技術があるというのに、見向きもされない。

　これを使えば、我が国の汚染を早期に除去することができるかもしれないのに、残念なことである。

　これを国会議員に進言したが、応じていただけなかっ

た。200ボルトでなくても、100ボルトのスパークでも瞬時に半減することがわかったが、相手にされなかった。

ダイヤモンドメッキ

ソ連の技術公開の話を聞き、大使館へ行くと、

「これは日本人の開発ですよ」と言われた。

マイナス60℃のソ連では、油は合わないのでメッキにし、テフロンでは弱すぎるのでダイヤモンドメッキにするらしい。

しかし、日本人の開発にもかかわらず、日本では採用されず、ソ連に持ち込まれたとのことだった。

そこで、米国特許のセラミックの代わりにダイヤモンドパウダーを工作機械の摺動部分に入れたところ、「5年で買い替える1台3000万円の機械が、10年ももっては困る」とのことで、中止となった。

研究とは

今欲しいものは何かと考えることから、研究が始まった

気がする。

　研究というよりも手探りの、「欲しいもの探し」とでも
いったほうがいいかもしれない。

　希望する方向、物、安全性——それには、基本となる情
報が必要だ。

　例えば、何の気なしに軒先を見ていると、古いハチの巣
がぶら下がっている。

　アシナガバチが子育てをして残したものである。アリも
寄り付かないし、いつまでたってもカビも来ない。

　何か使い道はないかと思い、細かく砕いて塗料に混ぜ、
防虫剤と船底の貝付着防止剤として試したところ、船底の
貝の付着が激減した。

　ところが、貝の付着を掃除する業者から、

　「こんなものができたら、専門業者は仕事がなくなる」
と申し入れがあり、やむなく製造を中止した。

　このとき、カナダの知人からは、

　「カナダとアメリカの専門業者を紹介する」と言われた
が、それは躊躇した。

　ハチの巣といえども、ミツバチからスズメバチまで様々
で、一部のミツバチやオオスズメバチは刺されるととても
危険であり、製品ができても業者さんに迷惑がかかるとの
ことで、中止にせざるを得なかった。

また、友だちの早崎君が紹介してくれた丹羽靱負先生の『水』という著書に、

　「ある石に水を通すと癌にならない」とあり、その石に魅せられて試してみると、素晴らしい効果があった。

　そこで、これをタブレット錠剤のかたちにして、飲み水の改良材にしてみた。

　するとこれが、豊田自動車の関係者の方に渡り、この錠剤100個を容器に入れて使用したところ、ある部門の工程にて、1000万円の浄水器よりも効果が高く、不良率が激減したということだった。

　その結果、全工場でご採用いただけたことは、素晴らしくありがたいことであった。

　また、この石の粉を塗料に混錬して、ディーゼルエンジンの排気ガス対策に使用すると、黒煙を90％も少なくできることがわかった。しかし、国土交通省からも、

　「こんなものができては困る」とご注意があった。燃料添加剤にしたものも、もちろんダメとのことだった。

　先にも述べたとおり、私たちが作る物は、工業試験所にも受け付けていただけなかった。

　後でわかったが、世の中に、経済的に影響があるものは

受け付けてもらえないとのことだった。

　そこで私は知人に頼り、「自然エネルギーを考える会」を作り、会員の皆様にご使用いただいた結果におすがりすることにした次第である。

　そして、１年に１〜２回、講師の先生をお招きして講演をしていただき、皆様と交流し、ご意見を拝聴する機会にさせていただいた。

　この会のおかげで、先生方にご教示いただけ、さらに多くの効果も発見させていただけた。

　この会にて、塗料塗布による電池の充電の可能性や、京都大学の林先生が開発された石の波動で、ガンが治ることも発表いただいた。

　そして、鉱石の波動により、病気にも、充電にも、素晴らしい効果のあることが報告されて、現在に至っている。

ガンに勝つ水

　『がん治療の「免疫革命」』（赤木純児　ワニブックス）という本を頂いた。

　この本を読んで、今までのことがすべて腑に落ちた。

赤木先生は、現役のお医者様である。

　私は、63歳の時にガンになり、鈴木石によって1ヶ月であの末期ガンが完全治癒した。

　鈴木石とは、鈴木さんとおっしゃる方からお聞きしたから石のことである。そこから、鈴木石と名付けた。

　また、発電や充電にも「鉱石」を使い、そして出来上がった物は、メッキ、塗装、タブレット錠剤などの試作品であった。

　豊田自動車の工場の水が改善され、不良が激減したとご採用いただいたのも、混合鉱石タブレット錠剤である。

　水改善で、生活も、病気も、人生もすべて良い方向い向かうというのは、なんと素晴らしいことか。

　詳しくは、赤木先生の著書をご覧いただきたい。

にも役立つ

　第5章　免疫力を自分で高める生活術

　90歳の現在があり、研究も続けられ、発電、充電、さらに、お医者様のご来訪を頂き私の製品をご使用いただけるのも、まさに「鈴木石」のおかげである。

　それを証明していただけたのは、赤木先生のこの著書のおかげと信じている。

　また。この著書をくださった照沼社長様に、心より感謝するところである。

第四章　これからの道

株式会社コーケンの終止符を決断

　株式会社コーケンの設立のきっかけは、高木特殊工業の技術開発部門として、別会社を作るためであった。

　高木特殊工業については、税務署から、「売り上げが少ないのに、開発費用が多すぎる」という指摘を受けていた。

　開発費が高かった理由は、後発メーカーとして生き残るには新技術開発以外にはなく、多くの特許出願のための費用を計上したことによるものであった。

　そこで、名古屋工業大学出身であった次女を発起人として、高木特殊工業の開発、研究部門で、別会計にできる会社を設立したのだ。

　実際、始めてみると、特許出願から6ヶ月くらい経った頃、同様の特許が数件、他のところからも出願されている様子であった。

　そこで、開発の内容を、著作権法にのっとった著作権として残せる、本を出しておくことに決定した。

　我社から特許出願したものは200件以上あったが、結局、特許使用の照会があったものは5、6件で、やはり税務署のおっしゃるとおり、中小企業からの出願は金の無駄使いと考えるようになった。

　それよりも、新しい勉強をしようと思い、名古屋大学の

聴講生を希望して学生課へ行くと、

「この先生がいいと思いますので、先生をお訪ねになって承認印をいただいてきてください」と言われ、指定された沖教授の部屋で面接試験を受けた。

しかし、その結果、

「今お聞きしたところ、あなたにお教えできることは何もありません。授業を聞かれたらがっかりするでしょう。人間の知識というものはね、万能の神様から見たら、神様の掌の上で踊っているようなものですよ。

分からないことがありましたらいつでもいらっしゃい。私が答えられなければ、専門の先生をご紹介いたしますから」と言われた。

そして、姫路工業大学の鷹野教授をはじめ、岡山大学、京都大学の先生もご紹介いただくことができた。

さらに、岐阜大学にも、

「岐阜大学の杉山教授に会いに行きますから、一緒に行きましょう」とお連れいただき、新しい技術を教えていただく機会に恵まれた。

杉山教授にお会した時、「錯体」という耳慣れない言葉を耳にして、帰宅後に次女に尋ねたことが忘れられない。錯体とは、金属イオンに、配位子と呼ばれる分子やイオンが結合したものだそうである。

また、メッキ工場を始めるにあたり、保険所に申請に行くと、先述のように、

「シアンを使いますか」と聞かれ、

「使用いたしません」と答えると、

「それならば申請の必要はありません」と言われた。

　しかし、その数年後に「公害防止法」という法律が施行され、公害課から、

「排水口はどこか」という質問がきた。

「厚メッキ工場のため、排水どころか毎日水を補給することが主体です」と答えると、

「それならば、メッキ槽の横からも下からも見えるようにしなさい」という命令を受けた。

　その時点では、メッキ層をそのように変更するには工場が狭かったため、やむなく新工場を建設する以外にはなく、現在の工場建設計画を、高校の同級生だった早崎君に依頼した。

　同時に、新技術がなければ存続不可能と考え、会社の後継者にする予定だった長女、清世を同行し、先述したように、美濃商店にお聞きしたドイツのメッキ工場の見学ツアーに参加させていただいた。

　そこで、今まで見たことのないメッキを見て、その特許先をご紹介いただいたのだが、それが、現在はメインになっ

ているテフロンコンポジットメッキである。

　改めて、英国のメッキ工場の見学をすると同時に特許権の交渉をしたが、この交渉は、それだけでも一つの物語になるほど大変なものであった。

　それでも、ありがたく特許権を取得することができ、「ナイフロー」という名称のテフロン複合メッキが誕生することになった。

　その数年後、新聞に、「世界一の撥水性のテフロンメッキを京都大学が完成」という見出しが載った。

　早速、自社の製品を持参して京都大学へ出向き、担当教授に面会すると、１リッターのビーカーの中にある１センチほどの製品見本をお見せくださったのだが、本当に小さく、貧弱なものに思えた。私の持参したものと、比較するほどの品物ではないように見えたものである。

　その後、美濃商店にて、大阪の会社の社長さんが私に、

　「うちのテフロンメッキを使ってくれないか」と言ってきた。

　しかし、「うちのはわざわざ外国特許を取得したものですので、それはできません」と即答した。

　それから、後継者の清世の夫である勉を後継として社長

を譲り、次女の淑余が後藤家と結婚、転出したことで、株
式会社コーケンが、研究者不在の休眠状態となった。

　そこで、特殊工業の一部分にて研究を再開し、「自然エ
ネルギーを考える会」を中心にして、講師をお招きして研
究会を開催した。

　その研究会の資金は私が全額支出し、講師の先生のご指
導と、私の開発製品のご評価を会員から頂ける場所とした
わけである。

　例えば、京都大学の林先生の開発された厚生省依頼の波
動鉱石、さらにそれによる波動発電、波動充電、無肥料・
無農薬の波動農業、さらにガンにならない水を作ったこと
などは、

　「これぞまさに、早崎君の紹介してくれた丹羽靱負先生
の『水』という本の波動水を体現したものだ」と判明した。

　その実現にいたらしめた研究をさせていただいたのは、
私と、株式会社コーケンの淑余夫婦であったと考えている。

　しかし、社長の勉から、後継者に、私の弟、大の長男で
ある恒を、次期社長にお願いしたいと相談があったので、
了解した。

　ただ、その後の変更で一番困ったのは、私が苦心して導

入したメッキ技術に代わり、知らぬ間に京都大学開発のテフロンメッキが導入されていたことである。

　びっくりすると同時に、怒りや悲しみよりも、「特許侵害は大丈夫であろうか」という心配が勝っていた。

　公害課から命令された、安全な工場建設の苦労の思い出もあり、やるせない気持ちでもあった。

　父の死後、母がある朝、私に、

　「お父さんが昨夜、夢に出てきた。『上の畑の土地を、隣がどんどん侵食してきているのがわからんか』とどなられて、目が覚めた。お前も一緒に見に来て」と言ってきた。

　見に行くと、地境の杭はどこへやら、コンクリートの水路の一メートル先が地境のはずが、すでにコンクリートの水路が半面取り壊され、残った畑の面が、今にも崩れそうになっていた。また、別の面は、14メートルほども侵食中であった。

　見れば、隣家の家屋も、1メートルもせり出してきているではないか。

　本来ならば、家屋を取り壊さなければいけないほどのレベルであった。

　隣家の持ち主は、母に責められてその後、首を吊ったとか、また、それを知っていた測量士も自殺したとかいう噂

を聞いた。

　その直後に、所有者が売りに出したのか、見るからにそれとわかるバッチをつけた男が、「買いたいと思って見にきたが、地境がわからん。どこだ」とやって来た。そこで、

　「この人たちに買われてしまったら大変なことになる。なんとしても阻止しなければ」と、隣地を購入させていただいた。

　すると、ちょうどその時、取引先の豊田工機様から、

　「熱処理用の工場が欲しいが、貸工場はないか」とのご相談があったので、

　「工場はないですが、私の土地がありますので、よろしければその工場をお作りになりませんか」と答えた。

　その直前に、豊田本社への直通の道路が完成し、入口を10メートルほど借用すれば、工場を建設するのに万全だと思い、

　「もう午後8時だが、思い立ったが吉日なので、明日といわず今からお願いしてお借りしてくる」と出かけた。すると、

　「高木さんなら本来なら嫌とは言えないけれども、今回ばかりは市役所に頼まれて、明日には道路の替地として契

約することになっておりますので」と言われた。

「もう契約はお済みですか？」と聞くと、

「いえ、明日の午前9時です」とのこと。そこで、

「では、同じ値段で買いますので、私にお譲りください」
とお願いして、隣地のトータル2000坪ほどを取得し、豊
田工機様の熱処理工場、「ＣＮＫ」の建設をすることがで
きた。

それは、現在も、貸工場として存在しているものである。

この地は、新技術開発の暁には「合同会社波動科学研究
所」の製造工場にし、後継者に使用していただく所存である。

21世紀はブラジルの世紀

昨日、ヘンリック・ジョージ・清社長様にメールを書い
ていて、気が付いたことがある。

私の現在の技術の原点は、新技術は導入したけれども、
生産技術については運用してくれる作業者がいないという
問題から始まっていた。

私が、外国人登録法の運用担当者であった警察官時代を
思い出し、ブラジルにおられる知り合いの息子さんにお願
いして、我社まで来ていただいたのが最初であった。

そのブラジル訪問時に目にしたものは、すごいインフレはあったにしても、資源の宝庫であるということだった。

　特に、宝石はすべての種類があるほどで、宝石店もたくさんあった。

　良品には手が出なかったが、屑物は千円札一枚で、ずっしりと重いほどの量の石が買えた。

　さらに、私は酒に弱いので、飛行機の長旅でビールを出されても、口にできるはずもなかったのに、どういうわけか出されたビールを飲み干してしまった。

　気がついたのは、いただいた宝石屑が腰掛けの下に置いてあったことである。

　「そうか、宝石には美しさはもとより、人体に影響するようなパワーがあるのではないか」とひらめいた。

　その後、私の作るものは工業試験所に受け付けていただけなかったために、自然エネルギーの会の皆様に試験使用していただき、第1回目の会合には、山根一真先生をお招きして講演をしていただいた。

　その講演は、「ブラジル」に関係のある内容で、山根一真先生から瀬古耕平先生をご紹介いただけるという結果になった。

瀬古先生は、ブラジルの薬草の専門家でいらした。

　ふと、ブラジルの政治は今ひとつではあるけれども、「資源、薬、自然の産物のいずれを見ても、21世紀を牽引するのはブラジルではないか」と思った。

　私の作るものは、元を正せば、ブラジル由来のものであったこと、清社長もブラジル第一生命の支店長の息子で、渡様は久野様の紹介者、久野様は父の縫製工場にいた娘さんの次男であり、私の工場の技術の継承者であったことを思い出した。

ドイツとブラジルの思い出

　メッキの工場を立ち上げるときに、美濃商店様のお計らいにて、ドイツの工場の見学ツアーに参加したことは先述したが、もう少し詳しくお話をしたいと思う。

　工場を発足して、ありがたいことにお得意様から仕事も頂けて、さらに先発メーカーのライバルになるのを避けるため、後継者の長女と二人、通訳の川村さんのご案内にて訪問したのが、ドイツのメッキ工場「シュナール社」であっ

た。

　アウグスト社長様のご案内にて、素晴らしい工場を見学させて頂いたが、その中に、見たこともない状態のメッキ槽、メッキ状態のタンクがあるではないか。

　「これは、何というメッキですか？」と質問すると、
　「テフロンコンポジットといって、メッキの中にテフロンを共析させた、摺動性のあるメッキです。ソ連からドイツへ石油を運ぶパイプの部品に使うために開発された、摺動性を高くするためのメッキなのです」とのことだった。
　「これだ」と思い、次にイギリスの会社を尋ね、特許のライセンス契約をし、テフロンメッキの仕事を開始した。
　これで、競争相手のない業態になった。

　さて、新規事業は発足できたが、受注をしなければならない。
　その当時のお得意様を、サンプルを持参して訪問したが、すべて相手にされず、新聞広告をお願いしたのは前述のとおりである。東京のメーカーの重役様３名がご来訪され、
　「新聞を拝見しましたが、現在困っているのが部品の摺動です。有償で結構ですから、ぜひ１万個作って頂けませ

んか」と言われた。

　その後に納品すると、「この条件で全点をお願いしたい」と注文を頂けたが、

　「東京は豊田自動車の本拠地からは遠すぎますので、２年間という期限でお願いいたします。それと、設備を整えるのに時間を頂きたいと思います」とお答えした。

　設備の他にも、作業スタッフの確保が大問題であった。

　この問題は、どのメーカーも共通して抱えていたことから、小学校の同級生の萩野正行君にご相談した。

　そして、前職、警察官時代の担当部署で関わっていた「外国人登録法」を参考に、日系２世の合法的採用を思い立ったのである。

　父の前職、「縫製業」をしていた当時の作業者がブラジルに移住していたのを思い出し、萩野君の甥の萩野道夫君と２人でブラジルに飛び、久野さんを尋ねて、次男夫婦に来ていただけるようになったのが、ずいぶんと大きな転機となったのだ。

　このことがあったから、私の現在がある。

　ブラジルで目にしたものは、豊田自動車の現地法人だった。

ブラジル豊田、ブラジル豊田工機といった会社の他に、大学時代のボート部の後輩との再会があった。彼からは、

　「今、どこにいますか？　ここは日本ではありませんから、独り歩きはお勧めできません。ホテルによくたどり着きましたね。今すぐ行きますから、ホテルから動いてはいけません」と言われ、ブラジルの状況説明を受けた。

　それは、治安の問題、インフレのひどさ等であった。

　ブラジルは、鉱石の宝庫で、それも無傷の鉱石の素晴らしさを見ることができる。

　その値段にも驚いた。傷のあるものはタダ同然で、その落差にもびっくりした。

　自分はタダ同然の傷物を袋にたくさん入れて頂き、千円札1枚でかなりの重量の石を入手できた。

　ブラジルからは、この鉱石と、ガンに効くキノコ、アガリクスも持ち帰った。

　また、「自然エネルギーの会」の第1回講演会で、山根一真先生がご講演くださったのは、ブラジルの現状についてであった。

　さて、私が研究した、ダメになった乾電池が再使用できるようになった方法も、京都大学の林教授が、厚生省に頼まれて開発したガンの治る薬も、実は、いずれもその鍵は

鉱石にあるのではないだろうか。

　鉱石には、独特の波動が存在する。

　また、『波動の超革命』(廣済堂出版)を書かれた深野一幸先生をご紹介いただく機会があり、波動の素晴らしさについて語っていただくとともに、船井幸雄先生をご紹介いただいた。

　船井先生は、私の作るメッキの品物を手にして囚になり、「これはすごいパワーですね」とおっしゃってくださった。

　ご同行者の慶応大学教授の加藤秀樹先生が、急用ができてお帰りになってしばらくした後、電話がかかってきて、

　「さきほど頂きましたパワーリングですが、携帯電話の電池が切れて困ったのでパワーリングの上に載せたところ、電話が使えるようになりました」とご報告いただいた。

　図らずも、鉱石のパワーによる急速充電能力があることが判明した次第であった。

　本業である金属メッキと、アメリカの特許の鉱石メッキの試験をしたが、充電ができるという結果が出た。

　そして、船井幸雄先生のご紹介で、トータルヘルスデザイン社の近藤社長様と巡り合い、「国際経営者協会」の旭鉄工社長様にもご紹介いただいた。

近藤社長様とは、草柳大蔵先生の講演会でもお会いし、

　「不思議なご縁ですね」と親密さを増し、私の作る物を講演会を通じて販売いただけることになった。

　ところが、パワーリングについて、あるお客様より、

　「ガンがあったが、ポケットに入れていたらガンが治った」という報告があり、薬事法の問題があるので、販売中止にした。

　電池やバッテリーについては、メッキではできなかったため、鉱石を細粉化したものを塗料に混ぜて塗布してみた。

　鉱石塗料は固形化が早いので、テープに塗布すると使い勝手がよくなることが判明している。

時代の変化を目の当たりにして

　先日、時代の変化に関することが書かれていた中島聡先生のメルマガを読んで、そのとおりだと思った。

　大不況の後の時代の変化が、過去の延長線上にあるものとは違うということは、私自身の実感でもある。

　大学卒業を目前にして、大不況を理由とした内定取り消しの通知を受けた私は、幸運にも警察官に採用いただけた

が、当時の世の中の変化は目まぐるしく、時代の変遷を経験することができた。その対抗策を、企業や政府が懸命に模索しているのも感じ取ることができていた。

　ここ数年は新型コロナウイルスのパンデミックによる大変化、不況があり、この後は過去の延長線でおさまるような状況ではないことを確信するものである。

　元大蔵官僚の経済学者、野口悠紀雄先生のお話にあったが、既得権者の権益保護のために開発者の新規の技術が抹殺されてきたようなことはこれ以上あってはならない。

　来たるべき大変な時代に配慮するならば、既得権益を損なうようなことでも新しい技術が認められるべきではなかろうか。

　それが、保江邦夫先生のおっしゃる、「令和になったから、ボツボツ変化も見えるかもしれない」ということであろう。

　昨年（2022年）はまだ、その時期ではなかった。

　今年になってコロナという特別な大問題による変化があり、私が退職後に培った変化の先読みや努力は、やはり必然のたまものという気がしてならない。

　警察官退職後については、「ゼロから始めて、またゼロになっても悔いはない」と、退職金を含め全財産を父に差

し出し、覚悟を決めてから始めた。

　現在の仕事を始めて、最初は娘婿に、次に弟の子供である甥に会社をバトンタッチするにあたり、彼らのような安穏な世代には、私の先見は、ぼけ老人の戯言としか映らないようである。

　時代の変遷とは、その時代を経験したものでなければわからない。

　おそらく、東日本大震災や熊本地震のような大災害に遭遇された方々の思いは、もっと深刻であったと思う。

　昨年は、新聞広告を申し込んでも、「若い社長ならいいが、年寄では話も聞けない」と相手にもしていただけなかったが、今年は話を聞いていただけるであろうか。

　研究というのは、本人が一番心得ているものであるから、いくら家族といえども50年、60年と積み重ねてきた研究内容を、全部理解できるものではない。

　それも、全財産を親に差し出して新規事業に飛び込み、いかにしたら後発メーカーとしても立ち上がれるかと、命がけの研究生活を共に生きたものでなければ、理解できるはずもない。

　先発メーカーに打ち勝ち、さらにその上をいくというの

は、並大抵の努力ではできないことである。新参者の開発
では見向きもされないどころか、先発メーカーの顔色をう
かがう新聞社では広告も扱ってもらえない。

　そんな苦境で頭角を現していくために、大変化の時代の
到来は、唯一のチャンスとも言える。

　以前、休日の夜間を利用して開発をしていたことがあっ
た。従業員にも知られたくない特別な研究をしていたから
だ。それを嗅ぎつけた同業他社が、当社の全従業員に、
「給料を2倍出すから、新しい技術を持ってきてくれ」
と声をかけていたということもある。新技術開発に際して
は、よくそんなこともあるようだ。

　また、よく知られる、「一番になるな、ただし三番にも
なるな」という商法も、過去の時代変化を経験したもので
なければわからないこともある。

　経営を後継者に託した後でも、自分の立ち上げた事業が
衰退していくのは見るに忍びない。

　いざというとき、誰にも負けない何かを複数用意してお
きたいというのが人の常ではなかろうか。

悲しいかな、老人

　隣村に住むいとこからしばらく連絡がないので、家の近くに行った際に立ち寄ってみて、びっくりした。昨年10月に亡くなったとのこと。

　「昨年9月、救急車のお世話になって病院へ行きましたところ、『明日にしてくれ』と言われて、その晩は帰されました。翌日に病院へ行きましたら脳梗塞と診断され、即入院と言われました。

　10月14日の午後に退院と決まっていたのに、その日の午後に迎えに行くと、午前中に亡くなったと聞かされ、悲しいお迎えになりました」

　奥さんの涙声に、返す言葉もなかった。

　思えば私も、一昨年、ひどい頭痛のために同じ病院へ夜中に救急車で行ったところ、

　「明日、行きつけの医者の紹介状を持ってきなさい。今、帰るのには、タクシーを呼んであげますから」と言われた。

　翌朝、かかりつけだった近くの同級生の医者が亡くなっていたため、新しいクリニックを訪ね、医者に、

　「頭が痛い」と言うと、モニターを眺めながら、

　「どこも悪くない」と言う。

「それでは、総合病院を紹介していただきたい」と頼むと、

「総合病院は、今時あなたたちのような高齢者は相手にしてくれないから、痛み止めのうまい医者があるから紹介する」と言われ、紹介されたのは、老人ホームを経営する病院であった。

そこでの診断は、「頭部帯状疱疹」。

「なにか問題があっても病院は補償しない」という内容の書面に拇印を押させられて、こめかみのあたりに注射をされると、みるみる顔の左半分がはれ上がり、左目、左耳が機能しなくなった。

「目については、行きつけの眼科医へ行きなさい」と言われて、その2日ほど前に免許更新のために診察を受けた眼科医へ行くと、

「これはどうしたことだ。うちでは対処できない」と、大学病院を紹介された。

大学病院へ通院し、4ヶ月ほどして左耳は何とか聞こえるようになったが、2年以上経つ今でも、左目はダメである。

80歳過ぎの老人は、夜中に救急車で何回もお世話になっている病院に行っても、診察もしていただけない時代になったのか……。

老人とは悲しいものである。

それでも、災害のときに世のため人のためになるかもしれないと思い、電源のいらない充電、発電や、電気自動車のバッテリーの充電、また、フリーエネルギーの研究者でいらした知花俊彦先生発案の空中からの水の採集などを、老骨に鞭打って研究し続け、著作で問いかけている。

　そして、読者様からのお問い合わせには、できる限りお答えしているところである。

　「叔父さん、言いたいことがあるなら遺書にしておくといいよ」

　これは、「今はうるさいことを言うな」という気持ちを暗に示しているのである。

　中央大学法学部を出た人間も、老いたら身内からはこのように言われる始末である。

　以前、本家の叔父が亡くなった時、相続の問題が発生した。

　遺言に従って、本家の兄弟三人が相続することになったが、末の弟が、

　「ぼけたおやじの遺言など信用できるか」と言って裁判を起こし、結果、自宅、農地を売却して山分けすることになった。

　それで、本家の跡地には、5件の売り家が建った。

　こうして、明治以前から続いていた我が家の本家も、あ

えなく消滅した。

　いろいろな面で日本らしさが失われていく状況を見るに
つけ、日本の行く末が心配になる。これが、老人の悲しさ
というものであろうか。
　同時に、我が家の行く末を考えると、本家のことが思い
出されて、このままいけば、現在は所有している我が家の
土地も、高木家のものでなくなるのではないだろうか。
　父が自動車事故にて急に他界し、母が父の遺言にて分筆
（＊登記簿上の一つの土地を複数の土地に分けて登記をす
る手続き）を依頼、母の依頼分以外の分筆については、弟
の大が自身の土地を勝手に追加して登記させた。
　それによって、我が家に出入りできる道は、弟所有の土
地に含まれることになってしまった。
　それを知らされた私は、さっそく入口の通行について、
300万円を手数料として持参し、それ以後、毎年20万円
を通行料としてお支払いしている。

　また、高木特殊工業の後継者として、娘婿で社長である
勉が、甥の高木恒に引き継ぎをお願いしたところである。
　そして、次女の夫、藤本仁様の葬儀のあと、藤本様が私
にしてくださったことへのご恩、特に私の創業に際して、

美濃商店の紹介を始め、プラスチックのメッキの指導をしてくださったり、将来について相談に乗っていただけたことに対してお礼を述べたいと申し出た。しかし、

「しゃべるな。仲良くしてください」と、思いもかけぬ言葉を投げられた。

伊勢湾台風の時、両親の家が全壊だというのに帰ることもできなかった警官という職業に見切りをつけ、両親の許可を受けて、妻の、「やっと食べられるようになったのに」という大反対を説得して退職。

実家に帰ると、大夫婦に、「出て行け。今すぐ出て行け」と言われた。

そして、ゼロからスタートしたが、それでも両親、藤本様のおかげで現在も営業させていただけている。

私の妻、富子は、先述のように母が、

「今時こんなにいい娘はいない」と勧めてくれた女性である。

結婚式の前に、ご両親から、

「富子は、口下手で気に入らないこともあると思いますが、どうか返さないでください。返されたら、本当に居場所がありませんから」と言われた（両親も、一人の姉も、

離婚経験者であった)。そこで、

　「今日までお育ていただきました娘さんをいただけることになり、本当にありがとうございます。愛情は大切に引き継ぎます」と申し上げた。

　誰がなんと言おうが、本当に大切な妻である。

　私は、遺言のようなものは、本家がそうであったように何の意味もなく壊されるものだと思っている。

　だからただ、両親の残してくれたもの、地境を崩されたのでやむなく購入した土地、建設したり、増設してきたCNKの工場を、すべて、大切に保存していただければ幸いである。

　騙されることがないように。交渉は不動産会社に仲介を頼むことも必要となるであろう。

　私もすでに90歳であり、感謝の心はあれども何の未練もない。

　婿さんが後継者を甥にお願いしたいとのことだったので、賛成して入社してもらうと、最初に手掛けたのが事務室の改装だった。

　それで、私の机や備品は、母の縫製工場の一部で、私の個人資金も提供し、私の作業所は自宅の物置に移された。

そして、そこが私の研究室兼作業場となった。

後継者に引き継がれた工場では私は邪魔者で、甥は、

「俺はメッキはやらんからな」と言う。

「ではどうするのか？」と聞くと、

「全部好きにさせてくれるなら、もらってやる」と言う。

「それなら、別の仕事をするのか」と私が言うと、

「資本金は誰が出すんだ？」と聞くので、

「現在では資本金は１円から認められるので、100円くらいあれば十分ではないか」と言うと、ひどく怒られた次第である。

「しゃべるな。仲良くしてください」と言われたことの意味はどういうことなのかと、釈然としない。しかも、遺言で残さねばならないものだという。

　両親の遺志を考えずにはいられないが、我が家でも遺言などは何の意味もなくなるようにも思われる。

　藤本様にお世話になり、何とか成功させていただいたメッキ工場の従業員の行く末を考えると、その技術は我が家のため、豊田自動車様のために、遺言代わりに、出版物にして残していく所存である。

おわりに

　過去を振り返ってみると、その時々に、素晴らしい先生にめぐり合わせていただいた。

　また、素晴らしい両親と、両親のおかげで良き伴侶にご縁をつないでいただき、さらに、良き宇宙のお計らいをいただいたことで、現在の私があると思う。

　そうした基盤の上に、世のため人のためにお役立ていただける可能性をもつ技術を着想させていただけることを、心より感謝する。その技術の達成に向けて、さらに邁進させていただく所存である。

　さらに、その開発技術の普及を助けてくださる人材もご紹介いただけて、本当に感謝この上もない。

　両親のご指導をいただき、今日まで、小過はあれども大過なく生活させていただきましたことについて、深甚なる感謝を申し上げます。

　両親には、長男として、現在では想像もできないような難しい時代に、一代を築く技術、能力をご指導いただいた。

　高額な資金を調達する必要は、兄弟には理解できなかったであろうが、両親は常に私に寄り添ってくださっていた。

また、恩師、先輩、お得意様、お付き合いいただきました各位、本当にありがとうございます。

　高校時代の恩師のおかげで、技術よりも人間性の重要性をご指導いただけた。

　坂田先生、加藤教頭先生、そして人間つくりをして頂けた中央大学にも感謝している。

　加えて、人間形成と体力作り、英国の有名大学ボート部員の品位の重要性や、服装に至るまでのご指導をいただいた初代ボート部顧問の川原教授、飯野海運の俣野健介大先輩他、心の持ち方を教えてくださったありがたい先輩方……、あげればきりがない。

　女房にも、私の本当の性質を見抜き、素晴らしいご指導を頂きましたことに、感謝いたします。

　自分が安月給だったために、不慣れな内職にて生活を支えてくれたこともあった女房と子供たちであった。家族に与えた苦労を思うと、申し訳ない気持ちもある。

　それでも、父が、

「弟二人には住む家を作って与えた。おまえにも作るよ」

と言ってくれましたが、

「お待ちください。　私は成功してから自分で作りますか

ら」と辞退しました。

　兄弟には何と言われようとも、高校3年間、父の勧めに従ってパン屋を成功させ、大学入学資金はすべて自分で作ることができました。

　恩師のご指導によって、第一希望であった名古屋大学の理科系の学部をあきらめ、東京の文科系の大学に進学しましたが、戦後のインフレーションの中、私のパン製造の技術を引き継ぎできる人材がいなかった。

　できれば兄弟に繋げたかったが、後継者として育てられなかった私の不徳のいたすところであり、申し訳なかったと思う。

　特に一年下の次男は、販売能力がなく、大学卒業後、やはり父が指導して、家も商店も名古屋市内に用意しても成功しなかったところを見ると、やはり人間には、生まれつき備わっている向き不向きがあるのかもしれないと思う次第である。

　そして、宇宙の計らいを頂けるご指導というものが存在すると思う。

　大谷先生（＊大谷重工、ホテルニューオータニの御曹司）の、私の長女夫婦に対する「陰徳」についてのご指導は、

本当に心にありがたく、私にも大きな学びとなっている。

　「自分のことよりも相手のことを考える。お客様の利益を考えると、その利益が跳ね返ってこちらの利益につながる」

　陰徳を積むのとそれを怠るのとでは、その差は歴然であり、このことは私自身、経営をする中で、身をもって体験させていただきました。

　「陰徳」という考え方は、敗戦後、アメリカによって叩き潰された日本らしさであり、教育勅語廃止とともに消え去ったものである。

　「陰徳とは何か」、それを知りたければ、メジャーリーグの大谷選手をご覧になればよくわかる。

　先日行われた、ＷＢＣの試合経過について、相手チームの監督さんのお言葉に、

　「自分を捨てて、チームのことを考えている」とあったように、日本の心は陰徳にあり。

　戦後生まれの日本人は、「陰徳あれば陽報あり」などという言葉は、知る由もないだろうが、アメリカの小学校では、第二次世界大戦時の将軍が、「日本の心」について、小学生に講演しているそうだ。

　その内容は、「こんなに小さな島は３日で占領できる」

と思いきや、何日経っても占領できなかったという、戦時中のいきさつだということです。

　このように、アメリカでも日本の教育を再認識されているというのに、日本の教育は、いまだ、アメリカを見習ったものになっているのはいかがなものだろうか。

　「以って瞑すべし」（＊ここまでできれば、もう死んでもよい。転じて、それで満足すべきであるという意）と、親の意見のみならず、その時は悲しくも思えた恩師のご指導により、インフレすさまじい東京に着いた時、

　「これが、日本をリードする首都か」とびっくりしました。

　そのおかげで、それからは世界中を飛び回って、最先端技術にアクセスできる機会がいただけたのは、本当にありがたいことでした。

　警察官退職後に名古屋大学で学ぼうとして、教授から言われた、

　「貴方には教えることはありません。私にお答えできなかったら、専門の先生をご紹介致します」というお言葉で、学校というところは一般的なことは教えるけれども、専門の分野については先生を選ばなければならないということを学ばせていただきました。

戦前の小学校での教育は、学ぶべき文字と、「修身」の授業がありました。その教育は、人間としての道徳教育が主体であったように思える。

　現在は 、「道徳」という授業があるようだが、意味は同じかもしれないけれども、内容についてはいかがなものだろうか。

　「陰徳」という言葉が通じない今の時代は、人知れずに徳を積むというよりも、己をいかにアピールするかという時代になったのかもしれない。

　老齢になり、技術の継続をお願いした時、
　「ぼけ老人はしゃべるな」と言われた。

　若者は、自分もいつかは必ず老化するということを忘れないでいただきたい。

　学んでくださいとは言わないが、今を時めく大谷選手をお手本として、隠徳という言葉の意味を考えてほしいものである。

　現在に至るまで、その時は失敗だと思ったことでも、結局、それが一番良かったのだとわかり、宇宙の計らいに心から感謝している。

「世のため人のために尽くすこと」——これは私の使命として、いつも心に深く刻まれている。

　ありがたいことに、今でも、不思議新しいアイデアが浮かび、研究したり、試すことができる。

　いまだにヨチヨチ歩きでも、皆様のお役に立つものを残させていただけるのは、望外の喜びである。

　父のご指導の下、高校時代から開業、会社を何社も設立させていただけましたが、すべて成功をおさめ、お金に不自由したこともほとんどなく、失敗も成功のもととなり、私も家族も生活させていただけた。

　すべては宇宙の采配、お計らいである。

　本書が、読者の皆様に少しでも役立てられるのなら、こんなに嬉しいことはない。

　ご一読をたまわりまして、心から感謝いたします。

　最後に追加で、私が発表した論文を載せます。

　「業者ごときが神聖な学会を汚すつもりか」とお叱りを受けたが、学会では無理でも、技術として残していただけるよう、再掲させていただきます。

◎論文－1（廃棄物学会発表）

鉱石塗料による使用済乾電池の起電力回復方法

1．はじめに

　一般の乾電池は起電力が低下すると充電が行えないため廃棄物として処理されるが、そのリサイクルは外装を除去してから分解し、構成部品を分別して別々に回収する必要があるため大変手間がかかる問題である。外装に部分的な損傷がない場合、使用済と新品の乾電池がほとんど同じ強度であることに着目して、外装塗装することにより起電力を回復させる鉱石塗料（以下触媒塗料とよぶ）を開発し、その効果と有効性を確認した。乾電池はそれぞれ異なる内部抵抗をもっており、その内部抵抗は常に電気を消費する。起電力の低下が内部抵抗による損失を補うことができなくなると、電気を取り出すことが不可能となる。内部抵抗の増大は電池の化学的劣化に関係するとされており、その低減方法や起電力の回復方法については困難とされる。触媒塗料は、使用済乾電池に塗布することにより内部抵抗を小さくし、不活性化した電気化学反応を賦活（ふかつ）する作用を示すもので、乾電池の使用期間を飛躍的に延伸させることにより廃棄物の減量化に役立つものである。

２．実験と結果

廃棄された電池の回復実験

（1）動かなくなった腕時計の電池の回復

　腕時計の裏ぶたに、鉱石塗料を塗ったところ動き出し、約８カ月間正常に動いた。

　８カ月後、１日２時間の遅れを認めたので約10時間宝石複合めっき板の上に置いたところ再び正常な動きを示し、10カ月経過中である。

図Ⅰ

（2）豊田市市役所清掃部の御協力により収集された電池の払い下げを受け回復実験を行った。

　図Ⅰのように外周部に５〜10mm幅に塗布したところ、それぞれに0.003〜0.005Vの電圧上昇を確認した。

　これをグラフで示すと図Ⅱのようになる。

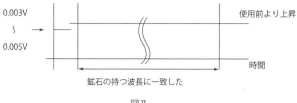

図Ⅱ

使用を続けたところ再び電圧上昇を認めた。

　なお、複数の組み合わせによってリサイクルの短縮、有効時間の延長をはかるべく、その混合比もまた重要な要素である。

　衆知の如くトルマリンは永久電極を持ち、これに増幅機能を有するものを加えることによって、

・増幅機能

・整流機能

・安定機能

　を得られ、自己充電寿命化がはかられると考えられる。

　(3)　電池消耗により動かなくなった電池カミソリの電池外面に塗布し、約20分後乾燥を待ってセットしたところ、動き出し毎日使用し6カ月使用していると報告が入っている。

　(4)　これを水道管の外部に塗布して通過水を調べると、

　　①界面活性効果

　　②防錆効果、除錆効果

　　③浸透分解効果

が認められたことから、電池電極の除錆、酸化、皮膜の除去、酸化皮膜の形成を少なくするのではないかと考えられる。

この理由から自動車、船、ボイラーなどのエンジン冷却水のパイプに塗布することによって冷却水を通じてエンジンに何らかの効果を伝達するものと考えられる。

3．考察

　鉱石塗料の主成分であるトルマリンの代表的な組成は、3 ｛NaX3Al6（BO3）3SiO18（OH9F）4｝ X ＝ Mg, Fe, Li …で示され、その電気的特性、特に圧電性や焦電性は、永久磁石における永久磁極と同じように永久電極を有することにあると言われている。この電極は常温常圧では外部電場によって消滅はしない（永久電極）。この永久電極は磁石の自発磁化がキュリー温度で消滅するに対応して消滅すると考えられる。温度は最近の学会報告によると1000℃近辺とされる。

　また、自発分極は、BO33 －と Sc44 －の層とが、C －軸方向に交互に存在する。6員環を形成する SSc44 －が一方に配列するために極性をもち、自己分極を持つとされる。公開されたデータによれば10数ミクロン程度の薄い層で最高107（V/m）〜 104（V/m）の高電界が存在するといわれる。これらの表面に水などの極性分子が接触すれば大きな電気化学現象が起こると考えられる。

４．実用化

(1) 乾電池の再生

　豊田市よりゴミとして収集された乾電池の払い下げを受け鉱石塗料の塗布処理又は鉱石シールの貼布により再生して公的機関への寄付を希望している（処理コストは１個約２円。これは公的機関の要請により中止）。

(2) 電池以外への鉱石塗料の実用事例

　　①自動車、船舶への実施例

　自動車、船舶などのラジエーター、エンジン冷却水、管外部での施用によってエンジン排出固形物の減少（50～70％）有害芳香属数種類の 30～90％の減少のほか、燃費も向上し特に船舶では、30～2000 トンクラスのもので 20％以上の燃費向上したほか排気ガスも大幅減少したとの報告を受け使用が拡大中である（漁船、観光船、大型フェリーなどのエンジンオイルがほとんど劣化せず 10 倍以上使用できるとの報告を受けている）。

②代替有機溶剤

　トルマリンの電極効果により電解し、カソード面でのＨの発生はあってもアノード面でのＯの発生はない。また、ＨはＨ₂Ｏ分子と結合してＨ₃Ｏ⁺（ヒドロニウムイオン）と

なることが知られている。また、これがヒドロキシルイオン（$H_3O_2^-$）となって界面活性を有するとされ水道水を有害な有機溶剤の代替剤として利用され始めている。これは、塗料（カタリーズ）として、または槽中投入用固形材（カタラ錠）として利用されている。

③排気ガスの浄化

④水素イオン電池

⑤外部電力を使わない電気めっき

⑥水の臨界水化

トルマリンを主として、その他宝石類などの天然石粉を添加した塗料を試作し、水道管外面に塗布し、通水したところ、ミネラルや植物、動物性の成分を溶かし、水道水の塩素臭を消すほか、自動車エンジン本体及び燃料、吸気、冷却水系統の外面に塗布したところ、エンジンの燃焼性の向上と大幅な煤塵濃度の低下が確認された。

また、この塗料を起電力が低下した乾電池の外側に塗布したところ、著しい起電力の回復効果が見られた。塗料と反応にかかわる成分とは、容器壁に隔てられて非接触であり、反応系に組み入れられる一般の触媒による効果とは異なるがいずれにしても塗料が流体や起電力に対して、何かの効果を及ぼすことにより、触媒と同様の効果が得られると推定される。

この塗料の特徴は非反応系と非接触があり、塗膜の耐久性が大きく外面のため塗装に伴う労力が少ないことである。また、塗装であるため形状や色を自由に選択することができる。

5．実施例

　(1)　自動車のラジエーターの外側に約100平方cmの一層塗りでディーゼル黒煙50％〜70％減少のほか、有害芳香属の減少を確認。

　(2)　船舶エンジンの燃料パイプ、冷却水系パイプに塗布したところ、黒煙の減少のほか、燃費の大幅な減少（20％〜50％）、現在数百隻の実績。大型フェリーにも利用拡大中である。

　(3)　市の有害ゴミとして回収された乾電池（アルカリ、マンガン、リチウム、ニカド等どれでもよい）の外部の面積の10％ほど塗布し自己回復型再製電池として寄付している。新しい電池は、シール、メッキによる寿命延長によって、廃棄物として出す量を大幅に減らすことを目標としている。

(4) 工業炉の燃焼効率の改善（8～10％）

(5) 工業用の改善（代替フロン）

(6) 農業用水の改善（減肥増収30％～50％）

　市販の塗料に、セラミック粉、金属粉などに添加したものもあり、まためっきにもテフロン粉、セラミック粉、ダイヤモンド粉などを共折させたものもあるが、いずれも耐食、装飾などの物理的機能を目的とするものであった。

　しかし、触媒といった化学的機能を主眼とした点に新規性と独創性があると考えられる。

　また、外面に処理するといった、非接触であるために、機能の永続性と経済性作業の容易性がある。

　本技術の経済社会へのインパクトとしては、

　①脱脂用有機溶剤の代替、及び金属表面処理の大幅な
　　工程短縮

　②起電力の向上による、自己発電型永久電池への展開

　③燃焼効率の改善と、排気ガスの再燃料化への展開

　④有害ガスの発生の減少

　　経費節減、環境浄化など多大な効果が期待できる

　⑤交通手段としての動体（自動車、船、電車等）の外
　　装による　有害ガスの分解への展開

当該テーマに関し、国内外に報告されたものは認められない。

6. 応用実例化

(1) 鉱石粉複合めっき

金属めっき液中に鉱石粉を懸濁させてめっきすることによりめっき層中に鉱石粉ができるのが共析めっきであるが、これは塗装に比較して効果も高く有効性は優れているが、コストの面、作業性の面から塗料より利用が限定される。それでも、電池への応用、エンジン周辺部品への応用としては非常に有用な分野である。

(2) 鉱石すき込み和紙

鉱石すき込み和紙は塗料と同じ使用効果があるが家具、壁紙として利用すると室内の消臭、除臭に効果があるほか、衣服につけておくと肩こり、腰痛に効果があったとの報告を受けている。

(3) インク、接着剤

インクや接着剤に鉱石粉を混合したシールを貼布することにより、塗料同様乾電池の回復に効果がある。

(4) プラスチックへの混練

プラスチック部品への混練することによりバッテリー外容器、その他水槽内の水の改質に効果が認められる（代替有機溶剤、脱脂槽として）。

◎論文－2

（未踏科学技術国際フォーラム発表・また、論文―1の英訳）

Reviving Batteries by Mineral Coating

Toshiji Takaki

Takaki Tokushu Kogyo Co., Ltd.

20 Inariyama, Hirota-cho, Toyota 473, Japan

KEY WORDS: Catalytic Coating/Battery
Restoration/Tourmaline

ABSTRACT

By applying a coating into which various powdered minerals, including primarily tourmaline, have been mixed to the exterior of a dry cell battery which have lost its electromotive power and can no longer be used again. Such coatings are called catalytic coatings.

INTRODUCTION

Generally, a battery immediately becomes waste, when

it runs out of electromotive force because it can no longer be charged. The problem is that recycling takes much work; after removing the container, it must be disassembled and the components sorted out for separate collection. When there is no apparent damage to the container, both used and new battery containers are of almost the same strength. Keeping this point in mind, we developed a mineral coating (hereinafter referred to as catalytic coating) to coat the container and restore electromotive force and tested it for effects and performance. Each battery has a different inner resistance, which always consumes electricity. When lowered electromotive force can no longer make up for the loss due to inner resistance, loss of electromotive force results.

Increased inner resistance is considered to relate to chemical deterioration. Moreover, decreasing the inner resistance and restoring electromotive force are considered virtually impossible. By applying a catalytic coating to a used battery to lessen this inner resistance, a deactivated, thereby dramatically extending the battery's service life. This will serve to reduce the volume of waste.

TESTS AND RESULTS

Restoration testing of discarded batteries

(1) Battery in inoperative wristwatch

When the mineral coating is applied to the back of a wristwatch, it started to operate, working normally for eight months. Then, it began to register two hours' delay per day. It has been operating normally for 10 months now since it resumed normal operation after being placed on a jewel composite plate for about 10 hours.

(2) The restoration test was conducted with dead batteries collected by the Sanitary Dept. of Toyota City Hall. When the mineral coating was applied to a 5-10 mm strip on the battery outer surface as shown in Fig. 1, a 0.003 to 0.005 to 0.005V voltage increase was observed. It is plotted as shown in Fig. 2.

Repeated applications resulted in another voltage increase.

Depends on wavelength of mineral

Reduction of the cycle length and extension of effective time are achieved by combination of various mineral coatings, the mix ratio being a very important factor. As is well known, tourmaline has a permanent electrode. Adding something with amplification function to tourmaline results in remarkable amplification, commutation and stabilization functions, enhancing the self-recharging capacity leading to longer service life.

(3) Having applied this coating to the outside of a dead battery from an electric razor and drying it for about 20 minutes, the razor became operable; it has been in daily use for six months now.

(4) When applied to the outside of a water pipe, the water passing through the coated pipe shows surface-active, corrosion removing, penetration and dissolution effects. Thus, it is considered to remove corrosion and oxidized film of the electrode and reduce formation of oxidized film. For this reason, the coating is considered to bring some good engine effects through water coolant duct pipes in car, boat, and boiler engines.

DISCUSSION

The major component of the mineral coating is tourmaline. Its composition is typically indicated by $3\{NaX5Al6(BO9)SiO18(OH9F)4\}$ X=Mg, Fe, Li··· Its electric characteristics, especially piezoelectric and current collection, are said to have a permanent electrode just as in the permanent electrode in a permanent magnet. This electric pole will not wear away due to the outer magnetic field under normal temperature and atmospheric pressure) permanent electrode). A recent scientific report indicated that this permanent electrode disappears at around $1000°$ C just as the magnet loses its spontaneous magnetization at Curie temperature. As for spontaneous polalization, the BO88-layer and Sc44-layer exist alternatively along the C-axis. Sc44-, which is said to be hexahedral, when arranged in one direction, has a polarity leading to self-polarization. According to data made public, a thin layer of around 10 odd microns possesses a high electric field of $107(V/m)$-$104(V/m)$. When a polar molecule such as water touches the surface of these layers, a great electrochemical effect is supposed to result.

OTHER APPLICATIONS

(1) Mineral power composite plating

This is a eutectic plating where mineral powder included in the plated layer by plating with mineral powder suspended in the mineral plating liquid. This is much more effective and useful than coating, but its application is more limited in view of cost and workability. Batteries, engines and their perpherals are considered to be very good areas for application.

(2) Paper and cloth made with mineral

The mineral powder has the same application effect on paper cloth as with the coating.

(3) Ink and bonding agents

Restoration of batteries as with the coating was demonstrated by mixing mineral powder with paper or cloth into ink or bonding agents.

(4) Mixing with plastics

(5) Mixing with metals

Other applications using substitutes for coating are conceivable for practical use.

(6) Application example 1

If this coating is applied to the exterior of the plating tank, and electroconductive materials are put into a solution for electroplating such materials as gold, silver, bronze, nickel, or chrome inside the tank, then these metals can be non-electrolytically plated at room temperature, without passing electricity through the solution.

(7) Application example 2

If this coating is mixed with metal oxide and applied to the exterior of a polypropylene container, and metal pieces are placed inside, the target metal can be plated at normal temperature and pressure.

＊以下、論文 -1 には無い、未踏科学技術国際フォーラム向けに追加した英文

On a spring evening in 1995, one of the members excitedly reported that the dry cell battery recharged when catalytic paint was applied.

This is a report on a experiment using paint mixed with gem dust distributed to around 100 members to check on how to use it and the results in reducing harmful auto fumes and the improvement of water quality. The reduction of CO_2, NOx and diesel fumes was confirmed, and the study on the recycling of dry cell batteries started then.

Restoration of the battery's electromotive force is as described in my paper, to which the recent experiment results should be added as below.

1) Application of the catalytic paint to the outside of the

container leads to possible production of the fuel cell by extracting hydrogen from such compounds as petroleum, alcohol, water, etc. to be used as fuel, through it may be more appropriately called a ˇhydrogen ion cellˇ than a ˇfuel cell,ˇ because it is an ion cell with the plus ion concentrated in the inner electrode for discharge with the minus ion. In this case a composite or alloy consisting of carbon and different metals has been found to be a better accumulator than a pure metal conductor. Also, better results are obtained when animal digestive enzyme is added to hydride liquid together with sodium chloride and sodium sulfide, because such enzymes can turn both water and oil to water soluble absorber.

2) Addition of chloride or metal compound such as metal sulfide to the solution makes the hydrogen and mixed metals discharge onto the plate, thus enabling electroplating without an electric charge.

3) Stirring water in the container coated with this catalytic paint is confirmed to make a certain kind of resin soluble in water as well as make the water and oil mixable at an optional rate.

（追加分の訳文）

1995年の春の日の夕方、「触媒塗料を塗ったら乾電池が回復した」と、メンバーの一人から弾んだ声で報告が入った。

・車の有害排気ガスを減らす

・水の改質

を目的に約100人のメンバーに、使い方及び結果の確認のために配布した鉱石の粉体を混ぜた塗料を使って実験して頂いたところ思わぬ結果の報告であった。CO_2、NOx、ディーゼルスモックの減少は確認されていたが、乾電池起電力の回復する事については、この時から実験が始まった。

乾電池の起電力の回復については、論文の通りであるが、最近の実験の結果について付け加える。容器の外面に塗布することにより、

①石油、アルコール、水など水素分子を有する化合物より水素を分離して水素を燃料とする燃料電池（むしろ水素イオン電池といった方が適切かもしれないが）。何故ならば、水素の＋イオンと－イオンを分離し、＋イオンを内部電極に蓄積し、放電するイオン電池と考えられるからである。この際の電池は純金属導電体よりも、カーボンや異種金属などの複合体又は合金の方が蓄電率が高いことが確認された。また、水素含有液に塩化ナトリウム、硫酸ナトリウ

ムなどと動物性消化酵素を加えるとよい効果が得られた。何故なら動物の消化酵素は、水も油も水溶性吸収可能体にすることからも想像できるはずである。

②溶液に塩化物、又は硫化物金属として金属化合物を入れれば、水素と共に混入金属を極板に析出させ電荷を与えずに電気めっきが可能となることが確認できた。

③この塗料をコーティングした容器の中に水を入れて撹拌した場合、水、油が任意の割合で混合できるほか或る種の樹脂も水に溶融できることを確認している。

以上のように触媒塗料は起電力の回復のほか発電力に近いものが考えられる。

水素イオンバッテリーと二重層キャパシター家電装置（東博士試作品）

◎論文－３（進藤富春氏特別寄稿）

（故進藤富春氏から生前、寄稿頂いたもので、コイルによるレアメタルの代替技術と考えられる）

単極磁石（モノポール磁石）

１．従来の磁石

従来の磁石は双極磁石、即ち、ダイポールマグネットであり、図の様に必ずN極（北極）とS極（南極）があって、元々の磁力の値が同じものを言う。

図1

つまり両極とも磁力の値の比率が１：１（１対１）である。即ち、N、Sがバランスしている。

２．モノポール磁石

これは宇宙の誕生時創出されたとして空間に遍満として無限に夫々NはN、SはSとして独立して単極子として存

在し従ってＮ単極子とＳ単極子とがあって、全ゆる物質の大元で超極微小粒子として存在している。

　その質量は 10^{-88} グラムと算出されている。又この粒子は超光速粒子でもあってその速度は光速（30万km／秒）の１億倍とも１兆倍とも言われている。

　以上の事柄を Dr. ビレンキンが正確には不明であるが、1957年頃計算上予言をしたのである。従って我々は彼の研究を誉えて、俗に磁気単極子をビレンキン粒子と呼んでいるのである。

　さて、先に私は磁気単極子（モノポール）は非常に微少で全ゆる物質の元（素粒子の元の元）であると言ったが、これは人間の体も、水も空気も土も鉱物も、即ち肉体も精神も地球も惑星も、銀河も、アンドロメダも、全宇宙も、小さく言えばバクテリアもウィルスも全部この磁気単極子からできているのである。

　今、世界中の物理学者が、この磁気単極子、即ちモノポールの姿を捕らえようとして手を尽くしているが、残念乍らまだ捕らえられずにいるのが現状である。

　究極の微細粒子であって、粒子であるが故に周波数があり波動があまりにも高いが、目にする事は全ゆる機器を用いても不可能だからである。

　又全宇宙、全物質の波動の根本波動（基本波動）はこの

磁気単極子の波動であって、粒子や物質が大きくなるに従って波動が下がって低くなりその質量も大きくなってくるのである。全て整数分の1。例えば気功で言う、気はやはり微小粒子の一種であると言われており、ビレンキン粒子の質量が先に述べた 10^{-88} グラムに対し、10^{-44} グラム位であろうと推察される。つまりビレンキン粒子が何個か集合したのが一粒子となったのが気であろうと思われる。それからテレパシーや又念じる時の念波、瞑想時の瞑想波等もこの部類に入るのであろうと思われる。

　従ってこれ等も超光速粒子であって光速（30万km／秒）より速い事は確かである。

　そのためテレパシー通信等はどんなに距離が長くても例えば月や大星上に立っている人にでも地球上から瞬時に（電波より早く）通信できるのはこのためである。

　私は先にビレンキン粒子は全ゆる物質の根源であり究極の微粒子でその質量は 10 － 88 グラム、しかも超光速粒子でその速度は光速(30万km／秒)×1億〜1兆であると言ったが、これは物理学上非常に重要な事である。

　物理学では、物体（粒子）の速度が光速に近づくに従って段々と時間の流れが遅くなり、やがて光速と同じ速度になるとその物体内の時間が停止する。

　そしてもっともっと速度を上げてやがて光速を突破（超

える）すると時間は反転し、その速度突破の比率によって過去へと流れ始めるのである。

例え話に、まだ実現は不可能ではあるが、或る人物が、光速と同じかやや早いロケットに乗り込み、宇宙旅行をして何日かたって地球に戻って来たら、ロケット（宇宙船）内の何日かが地球上の時間で何十年かたっていて、自分の家族はおろか、知人友人までがこの世を去っていて、自分だけが宇宙船に乗込んだ時のまま若かったなんて言う笑うに笑えない事が起こるのである。浦島太郎の物語も、これによく似た話ではある。

さて、こう見てくるとビレンキン粒子は（1）全物質、精神（心）の波動の根本であり、基本である事、（2）又この粒子は光速×1億〜1兆の超光速であるため時間の停止からやがて反転して遠い過去へ時間が流れて行く事、の2つの重大な事実があると言う事だ。

人間や動物、虫に至るまで夫々化学的に分解、分析して行けば何十兆個と言う細胞の集合体であり、尚も分割して行くと元素の膨大な数の集合体、つまり化合物である事が解るであろう。

元素もつきとめて行くと原子と電子、原子と電子は素粒子に、素粒子は先に述べた磁気単極子つまりビレンキン粒子で究極の根本粒子である事は前に述べた。

従って全ゆる物質の波動の根本はこのビレンキン粒子の発する波動が基本であるとも言った。

　今ビレンキン粒子が仮に数百億個、凝縮して素粒子になったとすると、素粒子の波動は数百億個の夫々のビレンキン粒子の波動が合わさった合成波の波形波動である事が解るはずである。

　これと同様に素粒子の波動が又膨大に集合した合成波を発するのが元素であり、元素同士が何個か集合したのが分子あり、これも夫々の元素の波動の合成波であって、その分子の固有の波動であり、その振動数も又固有の周波数でもある訳である。

　例えば、分子式が一番単純な水、H_2O について見てみよう。

　水は＋１価の水素原子２つと－２価の酸素原子１つと電気的にバランスのとれた化合物分子である事がわかる。水は一見何の変てつのない透明な液体であって、元素である。水素の性質も、酸素の性質も全く持たない化合物である。

　しかし酸素の波動と水素の波動の合成波を持つのが水である。

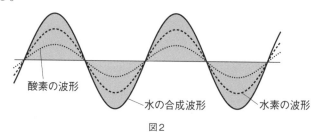

酸素の波形　　　水の合成波形　　　水素の波形

図2

水の構造式は

$$\underset{H^+ \qquad H^+}{O^{--}} = H_2O$$

である。

結局元素の化合とは、夫々の元素の波動が重なり合って合成波動を形成する事と言っても過言ではない。つまり形成された合成波が、その化合物の固有の波動、波形である。

この中には水の合成波形を持ちながら、波動が非常に弱く、水になり得ない水も空間には存在するのがこの事は生命の神秘に重大な意味をあたえるが、ここではふれず、後に述べる事にする。

私がここまで言えば次の事は皆さんは容易に御理解頂けるであろう。

つまり、人間も、動物も、虫も、植物も、先に説明した水のように、水は最も単純な化合物であったが、膨大な複雑な元素の化合物である分子の集合体であるのが、我々人間、動植物、虫、鉱物であって先述のように、ビレンキン粒子の基本波動から始まって、夫々固有の波動を持っているのである。

人間であっても、夫々大きいもの、小さい者、又人種の違い、その人の心の状態、身体の状態によって宇宙から与えられた規律をもって固有の振動数の波動を持っているの

である。

この一定の夫々の波動が狂う要因があってその者固有の波動に狂いが生じると、その者は病気になったり、災難に合ったり、死に至ったりするものと確信するのである。

ビレンキン粒子の特徴について私は2つの重大な事実を述べた。

即ち、

①ビレンキン粒子の波動は全ての波動の根本基本であり、この基準波動の比例分の1で夫々の固有波動を持つ事

②ビレンキン粒子、全宇宙創造物を構成する究極の微細粒子で超高速で光速×1億〜1兆の速度を持ち、それ故に時間が反転していて過去に遡って流れている事

の2つである。

私はビレンキン粒子のこの2つの特徴から見て、もしビレンキン粒子を捕捉は不可能としても呼び寄せる事ができれば広範囲にわたって応用の可能性があると直感したのである。

ビレンキン粒子を先に述べた広大な空間からどうやって呼び寄せるのか？　永い間研究が続いた。

先づ呼び寄せるにはビレンキン粒子のN又はSの反対の物が必要であるが、その当時（約25年位前）としては、先に述べた、1の従来の磁石しか無くNとSの磁力が等しくバランスしている（図示）のでどちらも呼び寄せる事ができない。

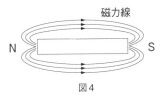

図4

　そこで永年の試行錯誤の末、約3年前完成させたのが次に述べる、疑似磁気単極磁石、即ちセミモノポールマグネット。別名ビレンキン磁石である。

3．疑似単極磁石（セミモノポールマグネット）

別名、ビレンキン磁石

　先に私は従来の磁石は両極の磁力の値が等しいのでバランスしていると言った。そのために宇宙空間に無限に遍満と充満している。いわば宇宙エネルギーとも言えるモノポールつまり磁気単極子の反対の物、即ち、地球上の磁石のNであればSモノポール、SであればNモノポールを地球上に呼び込む事は不可能だったのである。

そこで私はこの地球上ではNならNだけ、SならSだけの独立したモノポールの磁石を造れれば尚良いのだが、先づ不可能と考えねばならない。

　単独ではできないとしてどうするか、試行錯誤が20年間の永きにわたり続いたのであるが、私はその間モノポールを含んだ磁石、つまりN、S両極の磁力の値が異なる磁石又は一本の棒上にN、S、N或いはS、N、Sの3極を有する磁石の制作に没頭したのである。

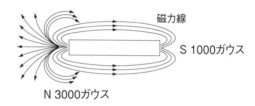

図5

3000：1000＝3対1。3－1＝2N余っている。
この余っているモノポール分とみなす事ができる。

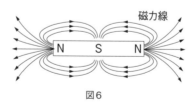

図6

N3000ガウス：S1000：N3000＝1対1対1。
ここでは1N余っている。

その結果３年前図の様な疑似モノポール磁石、即ちビレンキン磁石が完成した。これは世界初である。
　　図５ではＮが２つ余分にあるから、この２Ｎはモノポールであるとみなす事ができ、空間にある反対のＳモノポールをこの分だけ呼び込む事ができる訳である。又、反対に逆の極性の磁石も制作可能であるから、２Ｓ余分であればＮモノポールを呼び込む事が可能である。
　図６では３極つまり、Ｎ－Ｓ－Ｎ又は逆にＳ－Ｎ－Ｓの磁石で前者は１Ｎ、後者では１Ｓ完全に余るので夫々がモノポール分とみなせて夫々反対のモノポールを余ってる分だけ空間から呼び込む事が可能である。
　ここで最も大切な事は磁石両極の磁力の値が異なっていて、又は３極で１極が全く余っているか。つまりアンバランスでなければ空間のモノポールを吸引する事は不可能であると言う事である。従って通常の従来型磁石では絶対吸引は不可能だと言う事である。
　この世界に唯一のビレンキン磁石で空間からモノポールを呼び込む事ができるようになったから、次にその応用技術を述べようと思う。

４．応用編

（１）モノポール磁化水

別名、ネゲントロピーウオーター（ネガティブエントロピーウオーター）又の名 Dr. ビレンキン

①通常の水の説明

水は分子式 H_2O であって、正の電価１価を持つ、水素元素２個と負の電価２価を持つ酸素元素１個が前述の様に結合している化合物で元素の水素の性質も酸素の性質も全く持たない透明な液体であって、水素の波動と酸素の波動と合成波動を持つ性質である事を述べた。

水分子１個は図の様に電気的に正、負が全くバランスした一本の棒磁石の様である。

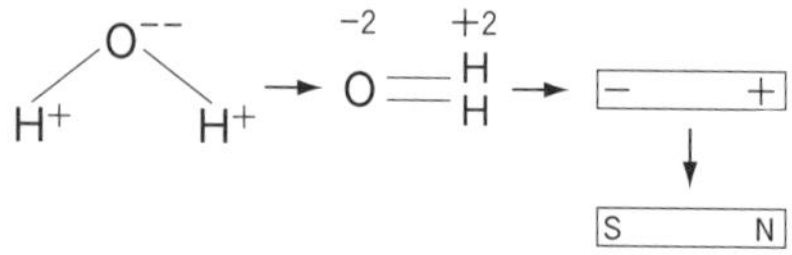

図7

この両端に＋－を均等に持つ棒の両端にＮ極、Ｓ極を棒に近づけると－の方はもう一方のＮ極へ、＋の方はＳ極に吸引され、又逆であれば反発される。と言う事は電気の＋－と磁気のＮ、Ｓは同一と見なしても良い事は御理解頂ける筈である。従って水は１分子単位の大きさの両極にＮと

Sをバランス良く持った微小な棒磁石の集団であると見て良い。つまり下図の様である。

図8

　然るにここで言える事は分子の配列があたかも録音テープの様にN－S、N－S、N－S……と連続している。したがって水は記憶素子であると言える。良い事も、悪い事も、実際に記憶しているのである。

　水はこの世で最も単純な化合物であって何処にでもあって、周囲に水があるのは当たり前だと思っているのであるが、良く考えると水ほど貴重なものはない。

　水のない生活なんて考えられないのである。汚水は種々汚い物を抱えているが、これが蒸発すれば汚物は残すが純水となり雨となって降ってくれば皆さんはきれいな水となって来たと思うだろう。しかしさにあらず見た目はきれいで透明で不純物は含んでいなくても、汚水の時点の悪い記憶を持っていてつまり水本来の持つ波動が乱れていて、クラスター（分子集団の事）も非常に大きいので人間、動植物にとっては決して良い水ではないのである。

　但し降水時、浄化力の強い所、つまり汚染されていない

森林の様な宇宙の規律に基づいた正しい波動のある処にたどりついたり、又これも波動の正しい地中をくぐり抜けた水は良い記憶を入れ替えられて、水本来の正しい波動と正しい分子配列を持った水として蘇生してくるのである。したがって水は必要以上に汚さない事を心に決めて使用する事が肝要である。

又、人体の大切な細胞（その数は60兆個とも80兆個とも言われているが）を構成するのは体重の約70％が水分であると言われ、又、人間は1日に約2リットルの水を飲み、又排泄している事を見ても何如に水が大事な物であるかうかがい知る事ができる。

今迄は一般の水について述べて来たがこれはモノポール磁化水を理解頂けるよう、普通の水とモノポール磁化水との決定的な違いを説明するための予備段階だと考えて頂きたい。

次にモノポール磁化水の構造とその働きを述べようと思う。

②モノポール磁化水（Dr. ビレンキン）

先に通常の水についての構造と性質を図7、図8で説明したが、ビレンキン水は次の図の様になる。

通常の水は図7、図8で先に説明したように分子は水素原子（正電価1）2個と酸素原子（負電価2）1個との結

合体であって1本の棒の両端が＋、－バランスしていて、あたかも棒の両端にN、Sを等価にもった棒磁石と同様でその集団である事は事実である。

　その集団模式図は図9のBの様である。今、この水分子集団に図9Cの様なモノポール磁界をかけたとする。

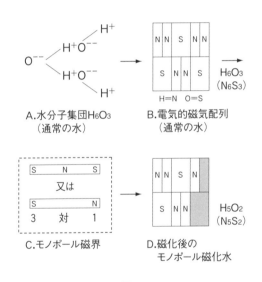

A.水分子集団H₆O₃
（通常の水）

B.電気的磁気配列
（通常の水）

H=N　O=S

C.モノポール磁界

D.磁化後の
　モノポール磁化水

図9

　この磁界はS3：N1となっている。このため、水分子中のS（図9のBの右端の部分）はモノポール分のS（図9のC）に反発され時間の経過と共に居場所を失いSは酸素であるから1部離反して行くことになる。やがてN1個

分もモノポールの小さいNに反発され出て行く事になり、結果図９Dの様に右端の２Sと１N抜けた状態になり分子式ではH_5O_2という水になるのだ。本来ならば$3H_2O = H_6O_3$又は$2H_2O = H_4O_2$なのだが結果はH_5O_2となるのである。

③通常の水とビレンキン水の違い

A．通常水より酸素が不足していて、水素が多い。（活性水素）

B．従って通常の水が完全に還元された還元水である　と言う事

C．ビレンキン水はその構造から見て、モノポール磁気を完全に記憶していて、その構造自体がモノポール磁石そのものである事。

D．従ってビレンキン水は常時宇宙空間からビレンキン粒子を大量に呼び込んでいる事。

E．故にこのビレンキン水を飲用するとその分だけ、体内の旧水分は排泄され体内の隅々迄行き渡るからその結果身体全体にビレンキン粒子を呼び込むので、粒子が通過する箇処は先にも述べた通りビレンキン粒子は超高速粒子であるから過去の場に曝されるので各細胞が過去に戻ろうとして活性化され、新陳代謝も促進されて悪い箇処は治癒し、又、病気等になりにくい身体を

造る。

F．ビレンキン水そのものであるから、ビレンキン粒子の正しい波動を持っているので飲用することによって、人間、動植物の波動も正常にする事ができる。

G．ビレンキン水は先にも述べた様に還元水であるから、飲用する事により、体内の活性酵素つまり老化も癌の発生も全ゆる病気の元は細胞がこの活性酸素に酸化されるからだと言われているが、この活性酸素を還元水の水素が取り込み消してくれる、従ってビレンキン水は抗酸化水でもある。

　等々である。

　次は応用編（２）としてビレンキン磁石の人体への応用を述べる。

（２）ビレンキン磁石の人体への応用としてのセラピー（施術）

　先に宇宙空間からビレンキン粒子、つまり磁気単極子を吸引、呼び込むためには通常の磁石では両極が同一磁力の値であるので（バランスしている）不可能であった。

　そこでモノポール分を含んだ、アンバランスな磁石、即ち、疑似モノポール磁石、図５、又は図６を造ってそのＮ、Ｓ、どちらか余っている極性の反対の磁気単極子（ビレ

ンキン粒子）を呼び込まれて来る時にはその速度は光速×
１億〜１兆で、時間は反転していて過去〜過去へと遡って
いる事も述べた。

　又、全宇宙の物質の根源の粒子であってそれ故に宇宙の
規律に基づいた正しい波動を発していて、全ゆる物（動植
物含）の波動は、このビレンキン粒子の波動を基準にならっ
てその合成波を夫々の固有波動として持っている事、波動
とは粒子が周波数と振巾を持って流れる事でエネルギー波
である事。

　又全て、化合の際、化合物を構成する原子波動、分子波
動が重なり合って、その合成波が化合物固有の波動である
事、などであった。

　古来東洋医学では、人体には経絡と呼ぶ生命を維持する
ための、身体の機能を正常に保ち続けるのに必要なエネル
ギー（波動とも言える）が間断無く絶えず循環する通路が
あり、このエネルギー波動が身体の隅々迄行き渡って流れ
続ける事によって生命は保たれていると考えられている。

　従ってエネルギー波動が何かの要因で狂ってしまった
り、又通路（エネルギー波動）の機能がうまく作動せず、
エネルギーが届かなかったりすると病気を引き起こす事に
なる。

　又、捻挫とか、突き指とか、打撲とか、或いは切り傷、等、

怪我類の場合は細胞が破壊してしまい必然的に波動が狂い痛んだり苦しんだりするのである。

　これは余談になるが、拙宅の台所で女房が夕食の支度にいつものように取りかかっていた或る日の夕方、小さな叫び声を発し台所より走り出て来てコップにビレンキン水をくみとり、左手の人差し指の先端をビレンキン水につけたではないか。

　私はびっくりして、台所から居間のコップの乗っているテーブルを見やると点々と血がしたたっているではないか。どうやら、刺身を調理している時に包丁で誤って指を切ったらしい。次の瞬間指をつけているビレンキン水の入ったコップを見て私は二度びっくり。何と普通の水ならば血が溶けて真っ赤になっているはずなのにビレンキン水は透明のままでコップの底にはおたまじゃくしの様に尾を引いた赤い小さい玉が沈んでいるだけではないか。ポットンと先程迄、ボタボタとしたたっていた血が止まっていたのである。

　その間、20〜30秒間位だったと思う。そのまま指をつけておいて約1分位して指をあげて見ると何と傷がふさがってくっついて完全に出血が止まっていた。普通指先の切り傷は2〜3日はづきづきと痛むものであるが、その瞬間から痛みも無いと言うのである。包帯もいらないと言う

のである。

　この様な信じられない事が遇然に起こったのである。

　この事はビレンキン粒子の波動によって破壊された指の
細胞の波動の狂いを修復すると同時に破壊された箇処がビ
レンキン粒子の過去の時間帯に曝され過去に戻ろうとして
活性化され修復したものと思われる。

　この事は怪我して直ぐだったから修復が早かったと言え
る。

　怪我又は病気が起こってから相当の時間が経過している
場合は、狂った波動の修復と細胞を過去へ戻すのにもそれ
相当の時間を要すると言う事である。この事は私の理論通
りビレンキン粒子の偉大な働きを今更乍ら知ると同時にビ
レンキン磁石とビレンキン水を使う施療は怪我でも病気で
も一刻も早い施療がより有効である事がわかる。

　ビレンキン磁石で人体を施療するには症状によって様々
であるが、人体の経絡上にあるツボ、一説には2000とも
3000あるとも言われている。いわゆる経穴であるが、全部
覚えるのは専門家ではないので無理と言うものである（よ
けい覚えるに越した事はないが）。

　従ってツボの本でも見て頂いて肝腎なツボを何ヶ処か覚
えれば良い。

　肝腎と言えば一番大切なと言う意味で人体の各臓器はど

れも大切だけれども最も大切な臓器は肝臓、腎臓だと言う意味である。何れにしても、肝臓、腎臓、胃、肺、心臓、小腸、大腸、膀胱、膵臓、脾臓等のツボを覚えると良い。

又、人体の狂った波動を修復し人体にビレンキン粒子エネルギーを注入するツボは３ヶ所あるが、これを覚えると良い。

その第１ヶ所は百会と言って鼻の線をまっすぐに頭上へもっていき、更に両耳の穴の線を側頭部からまっすぐ頭上にもって行き三線の交わった交点の所。

第二は尾底骨の先端、長強と言う。

第三は湧線と言って足の裏の中央より少し前で、５本の足の指を曲げるとくぼむ所で親指の隣の第２指と第３指の間のへの字形のくぼみの内側の所。

アマチュアの人は大体これ位覚えておくと良い。

いずれにしてもビレンキン磁石施療の基本は先ずはビレンキン水を飲んで頂く事である。

次にビレンキン磁石のアンバランスの場合は磁力の強い端を、３極の場合は両極同極であるのでそのどちらか一方の強い方を患部にあてて指圧の要領で押し乍ら痛みがとれるまで、もむ事である。相当痛みが強くても長くて２分間位すると痛みはなくなるはずである。

痛みが無くなった時はそこの患部は修復し癒されたと言

う事である。痛みがなくなるメカニズムは簡単である。

　①先ず患部にビレンキン磁石を押しつけると反対のビ
　　レンキン粒子が空間から超光速で突進して来る、こ
　　の時壁があろうが何があろうが突き抜け、患部を通
　　過しビレンキン磁石に絶え吸引され続ける。

　②結果、患部は例えば昨日迄は痛くなかった訳であ
　　る。患部は過去の時間帯に曝され続け過去に戻ろうと
　　して活性化される。遂に元に戻るのである。

　③同時に波動を修復しつつ、ビレンキン粒子エネル
　　ギーは体内流入し続ける。

　④傷や痛み苦しみは細胞がそこだけ多く活性酸素に酸
　　化されているからである。

　体調が悪い人の体液が酸性に傾いているのはそのためで
ある。そこで押しあてられているビレンキン磁石のSが、
先にも述べたが、－であり、酸化している酸素も－である
から反発されて酸化の鎖がやがてほどけて酸素は消える。

　以上、この4つの働きで痛みがとれて修復する事が理解
できるであろう。

（3）ビレンキン磁石の形状と使い方

　　①寸法　　A.　直径15mm、長さ25 ～ 30mm

　　　　　　　　磁力1500 ガウス：500 ガウス

B．直径 30mm、長さ 75mm

　磁力３極Ｓ（2800 ガウス）、

　Ｎ（2200 ガウス）、

　Ｓ（2800 ガウス）

C．直径 16mm、長さ 30mm

　磁力Ｓ 3800 ガウス、Ｎ 1000 ガウス

D．直径 26mm の玉状のもの

　３極各 1200 ガウス

　これはくるみのように２ヶを手のひらでもてあそぶ事によって指のシビレ、ひいてはボケ防止に良いとされている。商品名はキクマグと言う。

　以上の種類がある。

　Ｂについてはサイズが丁度手で握りやすいので手で患部にあてて施療しやすい。

　Ａ、Ｂについては私の処では電動バイブレーターにとりつけて施療をしている。患部に押し当て、もむには振動を与える事でより効果があるからである。

　②ビレンキン磁石を用いた施療法、別名レセル療法

　「レセル」とは「霊、聖、留」或いは「麗、聖、留」と表し、つまり霊聖の留まる所、或いは麗しい聖の留まる所であって、万物の根源で万物の基本波動を持つ磁気単極子ビレンキン粒子が意識、意志の世界をも司っている事を今

迄の数々の説明で理解できればこの大宇宙の根源、大元である事もうなずけるであろう。

我々はこの愛に満ちた磁気単極子様が、この宇宙空間におわしますからこそ計り知れない恩恵を賜る事ができるのである。

この事から我々はこの偉大なものを単なる物理用語で呼ぶのではなく、畏怖、畏敬の念をもって御尊崇申し上げて「レセル」様と位置づけてお呼びしても良いと思う訳である。

精神的解釈としてである。

即ち物理的探求解釈としてつき詰めてつき詰めていくとその振る舞いは物理を超えて、最高霊格としての「レセル」に行きつく事になる。

以上の事を念頭に置いて、施療にあたっては、相手の親身になって、又自身は良心をもって真摯に事に当たらねばならない。

従って、今後施療に関してビレンキン療法とは言わず、レセルの知恵を頂くのだから、レセル療法と呼ぶ事にする。

次に病気や怪我の種類は数々あるが、ここでは最も身近に起こり比較的簡単な症状別施療法の概略を述べる。

①シミ、ソバカス、小ジワ等で悩む──いわゆる美顔造りのレセル　療法

先ずビレンキン水を飲んで頂く事である。朝、昼、晩、

グラス1杯ずつで良い。その時、その一部を手のひらに取ってアスリンゼンのように両手でビレンキン水をよくなすり込むと良い。

　そのあとは先に述べたキクマグ（ビレンキン磁石）を顔中、万遍と転がすようにする。5分間位で良い。

②視力回復のレセル療法

　ビレンキン水を飲む。朝、晩、グラス1杯ずつで良い。

　その際ビレンキン水を湯飲み茶わんのような小さな器にとって片目ずつ瞼ごと水の中に入れてパチパチ瞼を閉じたり開けたりを5〜10回くりかえして軽くふく。つまり目の洗浄である。最初しみるが、慣れてくるとしみなくなる。あとは就寝前キクマグの丸い印のある所を瞼に当て（両目）約10分位テープか何かで固定する。

　以上の事を毎日続けると良い。

③肩こりに対するレセル療法

　ビレンキン水を飲む事は勿論である。肩の頂上部分の鎖骨の最も絡点部のへこんだ所を基点にバイブレーター付ビレンキン磁石で押しつけると痛みを感じるはずである。痛みがなくなる迄押す。（約10〜30秒）次に首に向かってまっすぐ隣にポジションを移し又痛みがなくなる迄押す。次に又首に向かってまっすぐポジションを移す。とくりかえす。大体5〜6ポジションで首と頭のつけ根迄行く

はずである。

　　左右同じで良い。首と頭のつけ根迄いくと肩こりはう
その様に良くなる。

　④ 腰痛に対するレセル療法

　筋肉のよじれによるものと椎間板のずれで神経を圧迫して痛むものとあるが何れにしても手の指で押して見て一番痛い所が何ヶ所かあるからそこを一ポジションずつ、バイブレータービレンキン磁石で痛みがとれる迄押す。

　場合によっては腰の筋肉の背中側ではなく、腹腔側が痛い事もあるので、指で良く調べてから対処する事である。ビレンキン水の飲用も勿論である。

　⑤便秘症のレセル療法

　ビレンキン水を1日1リットルを3回に分け朝昼晩飲用する。

　患者を腹ばいにして次に両手を広げて両中指を患者の背中側から骨盤の両側突起に当てて背中側に親指を伸ばして当たった所（背骨の両側）を約5～10分位ずつバイブレータービレンキン磁石で押してやると良い。

　後、患者を仰向けに寝かせてへそを中心に約7～8cmの円をえがいて10～12ポジションを30秒～1分間位ずつ、バイブレータービレンキン磁石で押してやる。

　⑥冷え症に対するレセル療法

ビレンキン水の飲用から始める。朝晩グラス１杯。

身体のエネルギーの流れを整えるために先に述べたエネルギーを注入する所、即ち百会、長強（尾底骨の先端）、湧泉をバイブレータービレンキン磁石で約１分間位ずつ押してやる。

次に血海と言って、あぐらに座ると曲がったひざの角から、７〜８㎝の所、左右２ヶ所と足の三里左右２ヶ所、すねのやや外側でひざのすぐ下のへこんだ所で指で押すと痛みを感じる所三陰交と言って両足首の内側くるぶしの丸い玉の頂上からひざに向かって指３本の箇所夫々30秒位ずつバイブレータービレンキン磁石で押してやると良い。

⑦風邪に対するレセル療法

ビレンキン水を１日１リットルを適当に分けて飲用する事。

普段から飲用していれば風邪の予防にもなる。

次のツボをバイブレータービレンキン磁石で30〜１分間位ずつ押してやると良い。

ⓐ天突　胸骨の上端にあたる左右の鎖骨のくぼみ

ⓑ孔最　前腕部手のひら側の親指側で、前腕部をひじから見て１／３位の所、両腕

ⓒ厥陰兪　肩胛骨の内側で背骨（第４胸椎）をはさんだ両側のあたり

④風門　左右の肩胛骨の内側で背骨（第2胸椎）をは
　　さんだ両側あたり
ⓔ中府　鎖骨の下で第2肋骨の外側と肩の風節の間の
　　くぼんだ所
ⓕ風池　首の後の髪の生えぎわで2本の太い筋肉の両
　　外側をわずかに離れたくぼみ

後はエネルギーを注入する先述の3ヶ所等である。

⑧ボケ防止法

エネルギー注入の3ヶ所を1～2分位づつ刺激し、ビレ
ンキン水は2日に1リットル位飲用すると良い。

キクマグを2ヶを手のひらでもてあそび、何分かづつ交
互に使うと良い。

⑨生理痛のレセル療法

ビレンキン水を飲用しながら次のツボをバイブレーター
ビレンキン磁石で10～30秒位ずつ刺激すると良い

ⓐ天柱首の後の髪のはえぎわにある2本の太い筋肉の外
　　側のくぼみ。
ⓑ腎兪
　　いちばん下の肋骨の先端の同じ高さの所で背骨をは
　　さんだ両側。
ⓒ下膠

臀部の平らな骨（仙骨）にある上から4番目のくぼみ（第4後仙骨孔）の中。

ⓓ血海（けっかい）

膝蓋骨の内へりの指巾3本位上のあたり。

ⓔ関元（かんげん）

身体の中心線上でへそから指3本分位下のあたり。

ⓕ合谷（ごうこく）

手の甲で親指と人差し指のつけ根の間。

等である。

1996.9.2　進藤理秀　著

（注）この論文は故進藤理秀氏の生前に許可を得て掲載した。

プロフィール

高木 利誌（たかぎ としじ）

1932年（昭和7年）、愛知県豊田市生まれ。旧制中学1年生の8月に終戦を迎え、制度変更により高校編入。高校1年生の8月、製パン工場を開業。高校生活と製パン業を併業する。理科系進学を希望するも恩師のアドバイスで文系の中央大学法学部進学。卒業後、岐阜県警奉職。35歳にて退職。1969年（昭和44年）、高木特殊工業株式会社設立開業。53歳のとき脳梗塞、63歳でがんを発病。これを機に、経営を息子に任せ、民間療法によりがん治癒。現在に至る。

ぼけ防止のために勉強して、いただけた免状（令和4年10月4日には、6段になった）

鉱石が導く
波動発電の未来

高木 利誌

明窓出版

令和五年七月一日　初刷発行

発行者──麻生真澄

発行所──明窓出版株式会社

〒一六四─〇〇一二
東京都中野区本町六─二七─一三

印刷所──中央精版印刷株式会社

落丁・乱丁はお取り替えいたします。
定価はカバーに表示してあります。

2023 © Toshiji Takagi Printed in Japan

ISBN978-4-89634-463-9

おかげさま
奇蹟の巡り逢い

高木 利誌

明窓出版

本体価格　1,800 円＋税

全ての功績に共通するのは「おかげさま」の精神

東海の発明王による、日本人が技術とアイデアで生き残る為の人生法則

日本の自動車業界の発展におおいに貢献した著者が初めて明かした革命的なアイデアの源泉。そして、人生の機微に触れる至極の名言の数々。
高校生でパン屋を大成功させ、ヤクザも一目置く敏腕警察官となった男は、いま、何を伝えようとするのか？

"今日という日"に感謝できるエピソードが詰まった珠玉の短編集。

2020年〜

我々は誰もが予想だにしなかった脅威の新型コロナウイルスの蔓延により、世界規模の大恐慌に見舞われている。ここからの復旧は、不況前のかたちに戻るのではなく、時代の大転換を迎えるのである——

本体価格　①〜④各 1,000 円＋税　⑤⑥各 800 円＋税

次世代への礎となるもの

戦争を背景とし、日本全体が貧しかった中でパン製造業により収めた成功。その成功体験の中で、「買っていただけるものを製造する喜び」を知り、それは技術者として誰にもできない新しい商品を開発する未来への礎となった。数奇な運命に翻弄されながらも自身の会社を立ち上げた著者は、本業のメッキ業の傍らに発明開発の道を歩んでいく。

自身の家族や、生活環境からの数々のエピソードを通して語られる、両親への愛と感謝、そして新技術開発に向けての飽くなき姿勢。

本書には著者が自ら発足した「自然エネルギーを考える会」を通して結果を残した発明品である鉱石塗料や、鈴木石・土の力・近赤外線など、自然物を原料としたエネルギーに対する考察も網羅。

偉大なる自然物からの恩恵を感じていただける一冊。

✓ 鉱石で燃費が 20% 近くも節約
　できる?!

✓ 珪素の波動を電気に変える?!

✓ 地中から電気が取り出せる?!

宇宙から電気を
無尽蔵にいただく
とっておきの方法

水晶・鉱石に秘められた無限の力

高木利誌

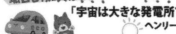

もっとはやく知りたかった…
鉱石で燃費が20%近く節約できた!?
「宇宙は大きな発電所である」
ヘンリー・モレイ

明窓出版

太陽光発電に代わる新たな
エコ・エネルギーと注目さ
れる「水晶」。
日本のニコラ・テスラこと
高木利誌氏が熊本地震や東
日本大震災などの大災害か
らヒントを得て、土という
無尽蔵のエネルギー源から
電気を取り出す驚天動地の
技術資料。

本体価格　1,180 円＋税

世のため人のため――

63歳で患った末期癌を、自然のすばらしい力により寛解し、90歳になった今もなお精力的に活動する高木氏。

鉱物の力を、自身が培ってきたメッキ技術と融合させ完成させたパワーリング・カタリーズテープの効力には、各界より多数の称賛が寄せられている。

また、

「命を与え、育み、ときに病気も改善するのは水だ」

という悟りに達し、自身の病において鉱物の恩恵にも授かった高木氏は、そのどちらも使用する者の意思を映すものであり、

「ありがとう」

という気持ちがあってこそだと言う。

今もなお猛威を振るう新型コロナウイルスに自身も翻弄されつつ、振り返る90年の人生。

その道中を塞がれることは幾度もあったが、探究心は枯れることなく高木氏を突き動かしてきた。

変わりゆく世の中にあり、なお

「ありがたい時代に生きさせていただいている幸せに感謝している」

という高木氏の、感謝と社会貢献はこれからも続いていく。

増補版

未来の扉を開く

鉱石が導く新時代

高木 利誌

明窓出版

本体価格　1,000 円＋税